ずばり東京2020

武田 徹
Takeda Toru

筑摩選書

ずばり東京2020

これから、みなさんにお届けするのは、「驚くべき」事実を記録したひとつの物語である。

こう書き出すと、話題作りや視聴率欲しさで煽りの文章を書く、テレビや映画のお調子者の宣伝担当者のようで気恥ずかしさもあるのだが、「驚くべき」という言葉に筆者が込めた含意をぜひ理解してほしいと思っている。その驚きの背景には、「未知」と「既知」、「可知」と「不可知」の交錯がある。

これから本書は２０２０五輪・パラリンピックの開催に向けて改造されてゆく東京を描いてゆく。今、みなさんは新型コロナウイルス感染症の蔓延によって当初予定されていた２０２０年夏の五輪開催が二〇年三月末に延期の決定を受けたことを知っている。しかし、それを事前に予想していた人はおそらく一人もいなかった。地震や温暖化による酷暑などで実施が難しいと言っていた人はいたし、反五輪の立場で開催返上を訴えていた人はいたが、彼らにしても、まさか感染症の蔓延で延期されるとは思っていなかっただろう。読者のみなさんも例外ではなかったはずだ。

最終章を除いた本書の全ての内容は２０２０年五輪が辿った顚末《てんまつ》を知る前の、「ビフォア・コロナ」の時期に取材されている。そこで取材を受けている人も、取材をしている筆者自身も二〇二〇年の一月に日本国内で初めて新型コロナ患者が発生し、それが五輪の延期につながるとは全く思っていない。ごく一部にコロナ禍をまたいで執筆された章があるが（内容の性格上、取材、執筆、初出などの時期を示すタイムスタンプは細かく記すようにした――）、それでも「アフター・コロナ」の世界を知ってしまった立場からの取材内容の加筆は敢えてしなかった。失われたものを記録しておくことに価値があると考えたからだ。

だから本書にはコロナを知らなかった頃の私たちの姿がそのまま記録されている。その後に何が起きたのかを知っている読者は、自分たちの運命を何も知らずに安穏と暮らしている当時の人々の姿（――それは自分たちの姿でもある）や、五輪に向けて準備に余念がない東京という街の風景に、あまりにも無垢な楽天主義を見て驚くのではないか。その驚きは、コロナ体験がものの見方を劇的に変えてしまったことに起因するのであり、過去の自分たちの姿を今と連続的に見られなくなっている。知ってしまった後に、知らなかった頃に戻ることはもはや出来ない。それは人生の公理のひとつだろう。

しかし、過去と現在の間には断絶の亀裂だけが走っているわけでもない。本書で例外となるのが、最終章の「東京コロナ禍日記」だ。これは東京と五輪の命運が変転してゆく最中に同時進行的に取材と執筆をした。その作業を通じて発見したことがある。他の章とは違ってかなり長めの、ひとつの別作品のような、この「ウィズ・コロナ」の章を書きながら、筆者は当然のようにそれまでの二年間、東京で続けてきた取材を振り返る。そこで、ここに至る道をそうとは知らずに自分が歩いて来ていたのだと改めて感じることが実は多かった。おそらく、どんな災厄もそうなのだろうが、忘れられた頃にやってくるのではなく、知らないうちにそれを引き寄せている面がある。

読者のみなさんにも、あまりにも無垢で無邪気で脳天気な都市と人々の生活の中に、実は「約束の時」に向かってゆく一種の必然めいた影が落ちていたことに改めて気づいてほしい。その気づきに二度目の驚きを感じてほしい。それが筆者の願いである。

では、二年前の時点にいったん立ち還って、今に至るまでの道を歩み直す、時間の旅にでかけてみよう。

※各タイトル下部の掲載年月日は、ウェブ媒体「論座」での記事公開日を示す。

ずばり東京２０２０　目次

はじめに――なぜ64年五輪に感動したのか

（2018年8月16日掲載）

開催まであと二年となって、焦点が合わない写真のように輪郭がボケていた2020年東京五輪・パラリンピックが少しずつ姿を現し始めた。

たとえば二〇一八年七月一二日には聖火リレーの概要が決まったと報じられた。スタート地点は福島。そこから一筆書きの作法で全国をぐるりと周回して東京に到着するという。

発表に際して森喜朗・東京オリンピック・パラリンピック競技大会組織委員会会長は「六四年の大会では聖火リレーでみんなが感動を共有できた。そのことを、次の世代に渡してあげたい」と話したという。

しかし「感動」とは危険な言葉だ。「感動的でした」の一言で、その内容の機微を覆い隠してしまうことがある。

森会長の言うように64年五輪に「感動」があったとして、「みんな」は、何に、どのように感動していたのだろう。

64年五輪の聖火リレーのスタート地点は沖縄だった。

ギリシャのオリンピアにあるヘラ神殿跡でにぎにぎしく点火式を行った後、聖火はアテネから日本に向かった。使用されたのは聖火空輸特別機として仕立てられ、その名も〝シティ・オブ・トウキョウ〟号と命名された日本航空のDC－6Bだ。

いざ、一路東京へ、と鬨《とき》の声をあげたいところだが、そうは問屋がおろさない。当時の航空機の航行距離の制限もあったのだろうし、神聖なる火の醸し出す気配を経由地諸国に〝おすそわけ〟する趣向もあったのだろう。アテネを飛び立った特別機はイスタンブール、ベイルート、テヘラン、ラホール、ニューデリー、ラングーン、バンコク、クアラルンプール、マニラ、香港、台北（香港空港駐機中に台風による強風でDC－6Bの機体が損傷する事故が発生したため、香港―台北間のみコンベア880Mをショートリリーフとして使用）と、各駅停車の列車のようにやたら頻繁に中継地に立ち寄る。各地でセレモニーや聖火リレーが実施され、史上初めてアジアに向かう聖火が熱烈歓迎されたさまが報告され、世界が東京五輪を祝福している雰囲気が醸成されてゆく。

たっぷり寄り道をしたうえで沖縄に到着したときには九月七日となっていた。しかし――、ちょっと待ってほしい。当時はまだ返還前だ。ところが当時の沖縄が米国統治下にありながら日本体育協会に加盟していたので、スポーツの祭典においては本土並みと説明されたという（夫馬信一『1964東京五輪聖火空輸作戦』〔原書房〕によれば、米国側は「日本領土に到達する最初の土地が沖縄である」という表現を使わないように組織委員会に要請したり、沖縄での聖火リレーにアメリカンスクールの生徒を加えさせたりするなど、水面下での駆け引きもあったらしい）。

米国統治下の沖縄に聖火がやってきた＝久志村（現・名護市）、代表撮影：オリンピック写真協会　提供：朝日新聞社

　九月九日、沖縄を出発した、その名も〝聖火号〟（今度は全日空が担当。機体は期待の国産機ＹＳ－11の試作機だった。中断を挟んで戦後久しぶりに製造が始められた国産旅客機が聖火運搬に動員されたのも、敗戦の記憶から離陸する高度経済成長期の五輪を象徴している――）は、鹿児島空港に着陸。その後、今度は寄り道なしに千歳空港に向かう。開催地〝シティ・オブ・トウキョウ〟を飛び越えて北海道を目指したのは、聖火リレーを鹿児島始発で九州を北上、本州の日本海側を主に通過するコースと、四国を経由して主に本州太平洋側を通る北上するコース、その一方で一度、北海道まで空路で北上してから日本海側と太平洋側をそれぞれ南下するコースに四分するためだった。

沖縄も本来は日本の領土であることを忘れていないとアピールし、沖縄を起点に日本の国土をなめるように聖火の灯で照らし出す――。まさに1964年五輪が、沖縄返還を先取りして戦後日本の国体を言祝《ことほ》ぐナショナルイベントだったことが、聖火リレーの経由地から浮き彫りにされる。

各コース経由でリレーされた聖火は一〇月七日から九日にかけて東京都庁（当時は有楽町にあった）に集められ、九日に皇居前に設置された聖火台における集火式を経て一〇日午後二時三五分から国立競技場に向かう最終リレーが行われた。

当時、六歳になっていた私は父に連れられてこの聖火リレーの見物に行っている。しかしランナーを見た記憶がない。子供の背丈では人垣に阻まれてほとんど見えなかった。父親はおぶったか、肩車したか、とにかくなんとか聖火リレーの光景を息子の瞼《まぶた》に焼き付かせてやろうと努力してくれていたはずだが、申し訳ないが、何も覚えていない。

なんとなく覚えているのは、詰めかけた人たちの体臭だ。高度経済成長を担った企業戦士の男性たちはデオドラントなど我関せずで、聖火リレー見物だけでなく、人混みに出かけるといつも整髪料やら汗やらその他の代謝成分やらの混じった独特の匂いを発散させていたものだ。

■開高健のトーキョー

とはいえそんな断片的な記憶では役に立たない。当時を全方位的に記録した資料を踏まえたい。

そして白羽の矢が立ったのが開高健の『ずばり東京』だ。

小説家としてデビューした開高だったが、六〇年代にはルポルタージュ作品をよく書いている。『ずばり東京』が文庫本化された時に追加された序文「前白――悪酔の日々――」にこう記されている。

「……小説が書けなくなったらムリすることないよ。ムリはいけないな。ルポを書きなさい。ノンフィクション。これだね。いろいろ友人に会えるから小説の素材やヒントがつかめるし、文章の勉強になる。書斎にこもって酒ばかり飲んでないで町へ出なさい。これは大事なことなんだド」

昔、ある夜、クサヤの匂いと煙のたちこめる新宿の飲み屋のカウンターで、武田泰淳氏にそういう助言を頂いたことがあった。泰淳氏は東京生れの東京育ちで、都会人の特質である繊細なはにかみ癖があり、いつも眼を伏せるか、逸《そ》らすかして、小声でボソボソと呟《つぶや》くのだったが、他人の意見などめったに耳に入ることのない年齢だった私の耳に、どういうものか、この忠告が浸透した。コタエたし、きいたのである。

開高本人いわく、一九五七年に『裸の王様』で芥川賞を受賞したものの「もともとプロの作家になろうという心の準備なり、覚悟なり、鍛練なりが積んであるわけではなかったから、たちまち壁にぶつかり、鬱症も手伝って、ひどいスランプに陥ちこんだ」。そして「風呂に入るとお湯がアルコールの匂いをたてる」ほど酒に溺れた日々の中で、武田泰淳がかけてくれた「ルポ」の言葉が活路を開いた。一九六三年夏に『週刊朝日』に「日本人の遊び場」を連載、次いで「ずばり東京」を書き始める。

当時のトーキョーは一時代からつぎの時代への過渡期であったし、好奇心のかたまりであってつねにジッとしていられない日本人の特質が手伝って、あらゆる分野がてんやわんやの狂騒であった。破壊は一種の創造だというバクーニンの託宣は芸術家と叛乱家の玉条であるが、トーキョーもまたこの路線上で乱舞、また乱舞していた。それにひきずられて私は悪酔をかさねつつノミのように跳ねまわったのだった。

六三年の晩秋から連載を始めた「ずばり東京」は、最終回に64年五輪開会式の光景が登場する。つまり東京五輪が開催されるまでの一年間が描き出されている。

そこには、消えてゆくものへの哀惜があり、勇ましく喧伝される明るい未来像への猜疑があり、虚勢を張るものへの心からの侮蔑と弱いものへの優しさがある。みっちりとした筆致からは町の喧騒がざわざわと聞こえ、人々の息遣いや、少し酸っぱい体臭すら漂ってきそうだ。舞台は東京だが、東京に就職で出てきた地方の若者や、旅行で東京を訪ねた外国人にも目配りし、東京から日本を、そして世界を見ようともする。

「五輪の感動」といった薄っぺらな言葉で語っている限り、言葉の内外に大きく広がる余白は、その時の権力者の都合次第でよいように埋められてしまう。とにかく見栄えをよくするように寄せ集められた成型肉のステーキのような言葉をいくら連ねても、それは歴史と呼ばれる資格がない。『ずばり東京』こそ64年五輪史と呼ばれるにふさわしい。

■一九六四年と二〇二〇年をつなぐ「原発」

話を2020年五輪に戻そう。聖火リレーを三月二六日に福島からスタートさせるのは、招致の段階で〝復興五輪〟と命名してしまったことと辻褄を合わせる選択だったことは言うまでもない。

そして、それは六四年と同じ手法の繰り返しだ。六四年当時の沖縄と同じように、最も「疎外されている」地域を出発地点に選び、「日本人みんな」の一体感を演出する。東日本大震災からしばらく流行語のようになっていた「絆」の語が再び口ずさまれることにもなるだろう。

しかし、組織委員会のお歴々や、感動に流されやすい「みんな」はおそらく見落としている。それは福島原発事故が、実は1964年五輪と深い因縁を持っていたということだ。

1964年五輪の東京誘致は、太平洋ベルト地帯への重点投資を高度経済成長の起爆剤とする政策に直接つながってゆく。それは東京五輪開催を名目に東海道新幹線や東名神高速道路が作られたことからも明白だ。
その時、太平洋ベルト地帯以外の地方が、発展への希望を賭けたのが原子力発電所の誘致だった。福島県も例外ではなく、東京五輪の招致と原発誘致は時期的に相前後している。実際に稼働するのは七〇年代にずれ込むが、結論からいえば、電力生産拠点となった福島に東海道並みの経済成長の波が押し寄せる日は来なかった。発展に向かうバスに乗り遅れたくない――そんな思いから原発を誘致したのはとんだお門違いだったのだ。高度経済成長は、原発が建設された地域も含めて過疎化してゆく「地方」と、その一方で過密化する「都市」へと日本の国土を分断し始めた。こうして電力生産地としての原発立地地方が、都市の電力消費を支える構図が固定化されてゆく。

原発は、いわば1964年五輪と双子の関係にあるのだ。『ずばり東京』は、福島や原発誘致熱を直接には記していないが、想像力を働かせて行間を注意深く読めば、五輪を起爆剤として東京中心の経済成長が進んでゆく流れに、なんとか乗り遅れまいと焦る地方の姿や、都市と地方との間に走り始めていたまだ小さな亀裂が透かし見えてくるはずだ。

過ぎし歴史に別の可能性を夢想しても空しい話だが、「もしも64年東京五輪がなかったなら」原発は福島に作られず、福島原発事故もなかったかもしれない。2020年五輪の聖火リレーには、64年五輪の帰結としての原発事故や、都市と地方との間にぱっくりと開いてしまった傷口の痛みを束の間忘れる儀式となることも期待されている、といったら意地が悪すぎるだろうか。

■変貌する東京と日本社会

こうして一九六四年から二〇二〇年までの時間の蓄積を意識しつつ、五輪開催にむけて変貌する東京と日本社会の実相を記録し、願わくば次の世代にも伝えたい。その際、街と人々が発する匂いや熱気までをも時空を超えて伝達しようとしたら、開高が実践したように言葉の力に賭けるしかないだろう。

これから書き始めてみようとしているのは、そんな課題を意識したルポだ。徒手空拳で臨むとしたら浅学非才な筆者の手に大いに余るが、さいわい、六四年版『ずばり東京』という優れたお手本がある。

たとえば首都高速道路に上空を蔽《おお》われてしまった日本橋の風情に対して開高が「空も水も詩もない」と憂いたセリフは『ずばり東京』の中で最も有名だ。だが、かつては悪臭を漂わせていた日本橋川の「水」も下水道が整備されてずいぶんと澄んできた。２０２０年五輪には間に合わないようだが、そんな日本橋上空の首都高を付け替えて「空」を取り戻そうという計画もある。アジア都市の中で近代化で一等賞を狙った東京は、シンガポールや上海に追いつかれ、追い越されつつある中で、再び衣替えしようとしているが、どんな姿を目指しているのだろう。

東京で暮らし、働く人たちもすっかり別人のようになった。タクシー運転手を例にすれば、『ずばり東京』に出てくる彼らは、乱暴な客に刺し身包丁を突きつけられたり、家出少女を拉致する人買い業者の足代わりになってしまったり、寂しい有閑マダムに「相手をしてくれ」と請われたりと、物騒だが、どこか物哀しくもあるエピソードに事欠かない都市の語り部だった。それが今やGPSで管理され、客室をモニターする防犯カメラで武装した現代のタクシーの車内はもはや密室ではなく、そこにどんな「物語」があるのだろう。

取材の過程で開高が訪れた飯田橋の「「遺失物収容所」(正確には警視庁総務部会計課遺失物係)」。声なき声で世相を示す膨大な数の遺失物群の情景も『ずばり東京』の中で印象的だった。〝忘れ物は世につれ、世は忘れ物につれ〟であれば、今の東京人は何を忘れているのか、忘れようとしているのか……。

開高健が生きていたら二〇二〇年の東京のどこを見たがり、何を喜び、何に哀しむだろうか。そのことを意識しながら、六四年版『ずばり東京』との「差分」を追ってみる取材をこれから進めてみたい。

1

空と水と詩の興亡——日本橋と首都高

（２０１８年８月30日、31日掲載）

すべての橋は詩を発散する。小川の丸木橋から海峡をこえる鉄橋にいたるまで、橋という橋はすべてふしぎな魅力をもって私たちの心をひきつける。右岸から左岸へ人をわたすだけの、その機能のこの上ない明快さが私たちの複雑さに疲れた心をうつのだろうか。

「ずばり東京」の連載第一回で、開高健は橋に賛辞を贈っている。世界中を旅した行動派作家は、三途の川を渡る最期の日までにさぞかし多くの橋を渡ってきたに違いない。

だが、開高の橋への賛辞は、「しかし」の逆接で次の文に繋がる。

いまの東京の日本橋をわたって心の解放をおぼえる人があるだろうか。ここには〝空〟も〝水〟もない。広大さもなければ流転もない。あるのは、よどんだまっ黒な廃液と、頭の上からのしかかってくる鉄骨むきだしの高速道路である。

この文章は『週刊朝日』一九六三年一〇月四日号に掲載されていた。

その約半年前の四月一一日の深夜、日本橋の上を「頭の上からのしかかってくる鉄骨むきだしの高速道路」の高架橋で覆う建設工事が行われていた。

小説を発表し始めていた開高は五四年の二月から、寿屋（現サントリー）の宣伝部で働いていた。宣伝部は当初、大阪本社にあったが、伝説の名ＰＲ誌『洋酒天国』創刊にあたって東京支店に移っている。東京支店は日本橋蛎殻町《かきがらちょう》から茅場町、大手町と点々とし、日本橋から目と鼻の先の榮太樓《えいたろう》ビルに宣伝部が入っていた時期もあった。

開高自身は五七年の芥川賞受賞を機に寿屋を退職するが、一生を通じてサントリーの佐治敬三社長との親交は続き、作家として独立後も嘱託としての関係は維持していた。古巣を訪ねて日本橋界隈を歩くことも頻繁にあったはずだ。

その時、開高が目撃した、橋の下に「真っ黒な廃液」がよどみ、橋の上空に建設中の首都高速道路が覆いかぶさる日本橋の風景は、どのように作られたのか。

■首都高が採用した「空中作戦」

空路で東京に来る人たちや選手や関係者の移動を、素早く、かつ確実なものにするために交差点や信号のない都市高速道路を造る必要がある――。１９６４年東京オリンピックの招致が決定してひと月も経たない五九年六月一七日に首都高速道路公団が設立され、突貫工事が始まった。

その時、首都高速は過去にない道路建設手法を採用した。ひと呼んで「空中作戦」――。

たとえば代々木のオリンピック選手村至近の代々木出入口から首都高四号線に入れば、まず明治神宮と外苑の間の内外苑連絡道と並走。当初、連絡道の一部として存在していた乗馬道の上に道が造られた（美しい公園道路だった乗馬道は高速道路に上空を覆われて公営駐車場に姿を変えた）。しばらく国鉄（当時）中央線・総武線と並走し、迎賓館をトンネルでくぐって赤坂見附まで外堀通りの上空を走り、三宅坂で再びトンネルに潜る。地下に造られたインターチェンジを通り、トンネルから抜けて千鳥ヶ淵の水面を離陸するように走って北の丸公園の端っこを掘割で横切り、日本橋川の上を走る……。首都高とはトンネルと高架橋の連続体であり、高架部分は公有地上の空間に造られている。これが「空中作戦」の正体だ。

■戦前からあった首都高構想

「そうするしかなかったんだよ」

天皇はそう言った。もちろん本物の天皇であろうはずがない。その時、筆者の前に座っていたのは、東京の街づくりの多くに携わった実力者ゆえに「山田天皇」と都市計画関係者の間で呼ばれていた山田正男だ。

「いかに都市計画が重要だ、道路建設は公共性が高いと言っても、いざ自分が立ち退かなければならないと分かった途端、誰もが反対に回る。オリンピックに間に合わせるために高速道路を造るには立ち退き反対運動家と折衝して時間を費やしている余裕はなく、公共空間をその用地に使うしかなかった」

これがオリンピックという「戦争」を経験した都市計画界の天皇の言葉である。

山田は東京帝国大学卒業後、内務省都市計画東京地方委員会に勤務。戦後は神奈川県都市計画課長などを経て一九五五年に東京都建設局都市計画部長に就任し、首都高速の計画と建設において主導的な役割を果たしている。

山田への取材は八〇年代末に行われていた。首都高速について調べていて、既に公職から退き、都市研究所所長を務めていた「天皇」に、ダメもとで取材をリクエストしたら叶《かな》えられたのだ。九五年に山田は亡くなっているので、ぎりぎりのタイミングで証言が取れたことになる。

確かに山田のいうように「空中作戦」なかりせば、首都高は一メートルたりとも建設できず、もちろん1964年五輪開催には間に合わなかっただろう。それはそうだが、首都高が1964年五輪の落とし子だとみなす定説は、実は間違っている。

内務省時代の一九三八年、山田は「東京高速度道路網計画案」を提出している。四本の環状線と八本の放射線状道路を組み合わせた路線構想は今の首都高と酷似している（首都高速道路協会『首都高物語――都市の道路に夢を託した技術者たち』青草書房）。首都高は戦前から用意されていたのだ。

このオリジナル首都高とでも言うべき計画も五輪と縁があった。とはいえ、その五輪は六四年のものではない。

一九三六年七月三一日、ベルリンで開催された第三五次ＩＯＣ（国際オリンピック委員会）総会。投票でヘルシンキに日本代表団が勝利した結果、一九四〇年に東京で五輪を開催することが決定した。そしてこの時にも五輪開催に向けて競技場や道路の建設が計画された。

中には実際に造られたものもあった。港区港南に五色橋という橋がある。それは当時、40年五輪の自転車競技会場の建設が決まっていた芝浦九号埋立地に渡るために架けられた橋で、五輪の五色にちなんだ命名だった（竹内正浩『地図で読み解く東京五輪』ベスト新書）。

五色橋の開通式が催されたのは三八年四月二九日の天長節。山田の首都高オリジナル案の提示と同じ年だ。当時、都市改造に向けた気運が高まっていた事情をうかがわせる。

しかし、その年は「終わりの始まり」にもなった。同年、第一次近衛内閣によって国家総動員法が成立。そこでは総力戦遂行のため国家のすべての人的・物的資源を政府が統制運用できると規定され、日華事変による中国戦線の悪化を踏まえて軍事以外での鉄材使用が制限されたので、五輪施設の整備は困難となった。三八年七月一五日、政府は40年五輪の返上を閣議決定する。山田の都市内高速道路計画も棚上げになった。

そして戦後の世になってみれば都市計画をめぐる環境は激変していた。

しかし戦前に構想されていた都市内高速道路の建設を山田は諦めなかった。東京都建設局にカムバックした山田は一九六五年に東京都心部の交通は麻痺してしまうという「昭和四〇年危機説」を唱え、危機感を訴えた。都市内高速はその対策の切り札とされたのだ。

しかし、私権を尊重する戦後の風潮の中で、沿道の住民や建物所有者の都市計画への理解がないままで新しい道路は造れないことも彼はよくわかっていた。そこで要請されたのが「空中作戦」だった。64年五輪の招致は、そんな奇策を用いる必然性を「それも仕方がないか」と広く認めさせる格好の建前となった。そして——、日本橋から「水と空と詩」が消えた。

橋の上に橋が架かるという意味では五色橋も同じだ。五色橋は通称「海岸通り」の橋として戦後（一九六二年）に架け直されて今も健在だが、その上空には64年五輪に間に合わせるべく急ぎ造られた首都高速一号線が走っている。

そんな五色橋の風景に明らかなように、東京の街並みには五輪の歴史が刻まれている。その五輪は一度ではない。幻に終わった40年五輪と64年五輪の歴史がそこには折り重なっているのだ。

そして今や三度目の五輪開催が近づいている。２０２０年五輪は、64年五輪だけでなく、40年五輪の雪辱戦、あるいはその乗り越えと見るべきかもしれない。多くの批判を受けてきた日本橋の風景が更新に向けて大きく動く可能性が見えてきたことが、２０２０年五輪こそ戦前まで遡って残された課題をやり直そうとするものだと考える理由となっている。

■戻り始めた日本橋川の「水」

歴史を遡ると徳川時代の慶長八（一六〇三）年に架けられた日本橋は、翌年には諸街道の起点とされて道路元標が作られた。こうして日本橋は江戸の中心であるだけでなく、全国の中心と位置づけられたのだ。橋の下の日本橋川は隅田川に繋げられ、河岸は水運で賑わった。築地に移転する前の市場は日本橋川河岸に位置していたし、橋の周辺は江戸一の繁華街となってゆく。明治時代には雌雄の麒麟《きりん》を彫刻であしらった瀟洒《しょうしゃ》な石橋に変わった。近くには証券会社が数多く創設されて近代日本の経済の中心となり、三越百貨店や白木屋などがモダンで新しい消費文化の発信地となった。

しかし東京の近代化は河川の水を汚濁させ、日本橋川も例外ではなかった。そして鉄筋コンクリート作りの首都高の高架橋が日本橋の上空に造られ、その詩情にとどめを刺した。「空も水も詩もない」と開高健が嘆いた所以《ゆえん》である。

しかし、やがて「水」は戻り始める。

実は東京の上下水道整備も五輪を画期とする。一九五七年にようやく完成した奥多摩の小河内ダムから供給される水道用水に加え、江戸川系、利根川系の供給体制も整備され、給水量は倍増した。下水整備も突貫工事で進められ、小台《おだい》（現・みやぎ）、落合の下水処理場が五輪直前に完成している。

七〇年のいわゆる「公害国会」では工場の廃液規制が相当程度進んだし、そもそも都内の工場自体が八〇年代以降多く移転してしまった。結果として都内の川の水質はかなり回復した。

日本橋川を行き来する遊覧クルーズがあり、最近では結構な人気だというのは、そのなにより

「日本橋は船から見上げるのが一番」（撮影：著者）

の証であろう。

二年後の同じ時期に開催される五輪を思いつつ、酷暑の中、遊覧船に乗ってみた。

「日本橋は船から見上げるのが一番、見栄えがいいんですよ」

日本橋のたもとに作られた船着き場から川を上流に遡行してゆく船上で、早くも吹き出した汗を首に巻いたタオルで拭いつつガイドが言う。以後、常盤橋、鎌倉橋、神田橋……、都心の地名としてその名を知る橋を次々に下から見上げ続けた。

上空はずっと高架橋に覆われていたが、水道橋の近くで首都高がすっと脇にそれる。遮られていた日差しが、容赦なく肌を刺すようになるが、頭上に青空が帰って来て開放感が気持ちを高揚させる。

神田川との合流地点で船は舳先《へさき》を下流に向ける。工事中の御茶ノ水駅の下を通り、万世橋をくぐって秋葉原へ。サブカルの街の狂騒も川面までは届かない。宵の出番を待って係留された屋形船の脇を抜けて隅田川に出る。清洲橋をくぐったあたりでコーヒーの聖地と呼ばれるようになった清澄白河の焙煎工場から川風に乗ってコーヒーのかすかな香りが鼻腔をくすぐった。それは64年五輪の頃の、悪臭漂う隅田川であれば、感知できなかったものだろう。

■「日本一の橋」への官民総動員

水が戻ったとなると次は「空」だ。

日本橋の上空を覆う首都高を付け替えることができないか。それは地元の長く強い願望だった。その声に応えて扇千景国土交通大臣（当時。以下同様）が二〇〇三年八月に「日本橋　みちと景観を考える懇談会」を設置、検討を始めさせた。その流れに更に勢いをつけたのが小泉純一郎首相で、〇六年一二月に奥田碩日本経団連会長、作家の三浦朱門、伊藤滋早稲田大教授（都市計画）、中村英夫武蔵工大学長（土木工学）の四人からなる有識者会議「日本橋川に空を取り戻す会」を設置させる。同会は翌九月に「日本の都心の象徴ともいえる日本橋地区」の美しさと魅力を創出する事業の「早急な実施を強く期待」する提言書をまとめた。

こうした提言の流れが、建設から半世紀を経て老朽化が懸念される首都高を改修する動きと合流する。二〇一四年一一月に事業許可された首都高更新計画の中には都心環状線竹橋―江戸橋間を地下化する事業費として一四一二億円が盛り込まれた。

屋形船が宵時の出番を待つ（撮影：著者）

興味深いのはその事業スキームだ。検討の結果、二〇一八年に地下化の総事業費は三二〇〇億円と概算されたが、更新計画で認められた額を超える分については、国と都が出資金の償還時期を見直すなどの工夫で補うほか、日本橋地区で進行中の、「国家戦略特区方式」を適用し、都市計画決定などの手続きを迅速化して金融ビジネス拠点と生活環境を整備する再開発プロジェクトと連携、約四〇〇億円を民間が負担するという。

それは「日本橋川に空を取り戻す会」の時点で素案が示されていた方法だった。その提言書に曰く「私たちは、これまでの事業慣行とは異なる新しい方式の提案を行っている。まず、民間再開発が先導して川の両側に遊歩空間をつくる、公共事業はこれを受けて首都高速道路の地下化と河川の環境整備を行う。民間は事業から受ける恩恵の一部を公共事業に還元する。これにより、公共は事業費を節減しつつ、地域社会に大きな便益をもたらす事業を迅速に行うことができる。これは、従来の都市再開発手法より一歩進んだPublic-Private Partnershipの事業である」。

首都高の生みの親だった山田正男は都市計画に対する戦後市民の無理解を批判していたが、今回、日本橋周辺の民間企業は首都高改修へ理解を示すどころか事業費まで出そうというのだ。なんと理解の深いことか。

筆者はかねて政府の審議会のメンバーになるような有識者とはどんな人たちなのだろうといぶかっていた。彼らは民間人なのか、官僚に選ばれて送り込まれ、後ろから操られている仮面官僚なのか――。疑って見る習慣がいつしか身についており、「日本橋川に空を取り戻す会」の面々についても、申し訳ないが、その例外ではなかった。そんな疑問に答えが出たわけではないが、今や疑問を持つ必要がなくなったことに気づく。もはや「民」と「官」は同じ欲と夢を共有しているのだろう。

多少の持ち出しはあっても地域の高度利用や景観の改善に協力することで地区の価値は高まり、持ち出し分に余る利益が地元に還元される。日本橋川の水辺に用意されるオープンスペースと連続的に地区を再開発し、新設される超高層ビルにはオフィスと同時に「サービスアパートメント」も用意されるという。そこは結構な人気となるだろう。なにしろ「日本一の橋」沿いなのだ。開高健は夜になると人気《ひとけ》が途絶えてしまう日本橋に暮らしてきた住民の嘆きの声を丁寧に聞き取っていたが、居住人口も増えるだろう。そこに暮らすのは開高が話を聞いた老舗の寿司屋やワサビ屋の隠居とはずいぶん肌合いを異にする人たちではあろうが。

一方、都心の活性化は日本経済を賦活《ふかつ》して国益にも繋がり、政府の評判が良くなれば与党の利益にも繋がる。だからこそ官僚も政治家も熱烈歓迎する。

一九三八年の国家総動員法が40年五輪を中止に追い込んだ。しかし今は法律の強制なしにも官民の総動員ができてしまうようになった。それが一九四〇年、一九六四年、二〇二〇年の三つの五輪のステップを踏むごとに進んだ日本社会の変質だったのではないか。

■二〇三〇年の日本橋が発する「詩」とは?

国交省道路局によれば、今後のスケジュールはこんな予定だそうだ。首都高の地下化は工事中の日本橋川の流れを回避させつつ、三本の地下鉄や上下水道、地下埋設の電線などが様々な深さで走る中を縫ってトンネルを掘る工事となり、関係者との間で気の遠くなるような調整が必要になる。それが終わる目処が二〇二〇年。つまりオリンピックの時点で日本橋の風景は見た目にはまだまったく変わっていない。困難な調整作業をなんとか二〇二〇年ごろまでに片付けて、その後、一〇~二〇年かけて地下化工事を実際に進めるという。

五輪開催が近づき、学生ボランティア・スタッフが募られたり、メダルの原料になる貴金属を含む廃家電の提供が求められたり、様々な新しい「動員」の物語と共に膨らんでゆく高揚感は、官と民の分離を前提とした「空中作戦」の敢行に踏み出させた一九六四年と違って、今度は官民の別を乗り越えた協力体制の下に難易度の高い調整作業を後押しすることが期待されている。

しかし、こうして「空」を取り戻すことで、諸街道の起点と位置づけられて広い日本の国土を繋ぐ「要」の役割を担っていた頃の「日本橋」の象徴機能は蘇るのだろうか。二一世紀になって高層ビルが切り立つ東京都心の風景は、地方都市の黄昏《たそが》れた街並みとずいぶんかけ離れてしまった。日本橋の風景はそうした隔たりを象徴するものになるのか、それとも日本全体の未来を先取りするものとして全国区型の夢と欲を掻き立てるのか。それは、その時に、日本橋がどのような詩を発散しているか次第なのだろう。

2 「流れる密室」——タクシーにも情報化の洪水は及び

（2018年10月18日、23日掲載）

自動車は流れる密室である——。開高健は『ずばり東京』の一章をそう書き出している。

これは鉄とガラスでできた応接室であり、書斎である。茶の間であり、取引のお座敷であり、しばしば寝室でもあるし、ときには便所ですらあるようだ。

いずれにしても密室である。みんなホッと息をついてくつろぐ。朝から晩までのべつに追いたてられ、はたらかされ、他人のために生きているこの狂気の都の住人たちは、自動車にのったときだけ、自分の時間をとりもどすのである。

開高は、ただ移動の道具として自動車を見るのではなく、それが人々を日々のしがらみから解放する空間となることにも注目している。

その文章が書かれた一九六三年、乗用車の生産台数は四〇万七八三〇台となっていた。復興期にはトラックの生産が先行し、この時期にようやく乗用車の生産が本格化していたが、第一次マイカーブームが到来する七〇年代前半はまだ先。自家用車を所有できる家は限られていた。新しい、移動可能な「個室」を個々人が所有するまでにはもう少し時間が必要だった。

しかし、その当時、庶民でも乗れる乗用車があった。

タクシーだ。

客を乗せて走るために乗用車を提供する仕事を日本で始めたのは、一九一二（明治四五）年、有楽町数寄屋橋に設立された、その名も「タクシー自働車株式会社」だったという。上野と新橋に営業所を構えて鵜飼いの鵜のようにT型フォード六台を街なかに放って走らせた。鵜は魚を加えてくるが、タクシーはカネを持ち帰る。料金は最初の一マイル（約一・六km）が六〇銭、以後半マイルごとに一〇銭。市電の乗車賃が四銭だったことを思えばかなり高価な乗り物だった。

■西鶴と『デカメロン』を混ぜたような……

こうして一事業者、たった六台でスタートした東京のタクシーが一九六三年には事業者数で四〇六、車両数一万八〇三〇台となっていた（東京乗用旅客自動車協会編『東旅協30年史』、一九九〇）。料金もこなれ、自家用車がまだまだ高嶺の花だった時代に、多くの人がタクシーで自動車という個室空間を経験する。だからこそ開高も「流れる密室」を書くためにタクシー運転手を取材している。

あちらこちらのタクシーの運転手さんたちのたまり場になっている食堂へでかけて、つぎからつぎへと来ては去る運転手さんをつかまえて話を聞いた。彼らの観察と記憶は奇抜な偶然性にみたされていて、意表をつくものばかりだった。西鶴と『デカメロン』をごちゃまぜにして読むような気がした。

そんな『ずばり東京』の記述に触れて、改めて2020年五輪直前の東京のタクシー事情を確かめたくなった。

二〇一六年の東京のタクシー台数は四万八〇九六台だ（東京ハイヤー・タクシー協会）。この五〇年で「こんなに増えました」と言いたいところだが、実はグラフを見るとその前の八年間はずっと減少していたし、それ以外でも増えたり、減ったりのギザギザ模様だ。その山と谷に艱難辛苦のドラマがある。

先ほどから鵜飼い師に例えてばかりで失礼だが、利益を伸ばすために街なかに放つ鵜ならぬクルマの台数を増やしたい。利用者も乗り易くなるのは歓迎

東京駅八重洲口のタクシー乗り場で［1964年11月］　提供：朝日新聞社

だ。
だが利用者のパイは決まっているので業界全体としては台数を規制したい。政府は業界と利用者を交互に眺めつつ、どちらにもいい顔をしようとして料金制度と認可台数をいじって往々にして迷走する。労使の利害も一致したり、対立したりで、まぁ、それはそれは色々あったわけだが、そのドラマは涙をのんで省略する。ここでは、要するに「流れる密室」がどう変わったか、それが聞きたいのだ。

■運転手さんに聞いてみた――タクシーもIT化

取材を受けてくれたのは大手のタクシー事業者に勤務する男性。警備会社勤めの後、独立して輸入自動車販売業を経てタクシーの世界に入り、今年で八年目だという。業界の酸いも甘いも嚙み分けられるようになってきて、仕事に脂の乗り始めた時期といえようか。

――『ずばり東京』の中にはナイフを首筋につきつけられた運転手の話が出てきますが。

先輩でも紙袋の中に入れた銃の銃口をつきつけられて「チャカもってんだぞ―」とすごまれたとか聞いたことありますよ。良かったのか悪かったのか道が混んでてほとんど走れなくて。そのうち客は降りて、チップも置いていってくれたとか。

――そういう話、やはり多いんですか。

いや、それは二〇年以上前のこと。最近はあまりないですね。ドライブレコーダーのおかげかもしれない。

――？

前方だけでなく室内の映像も記録しています。テレビの番組でも、録画されていた車内動画が流れたりすることがあるでしょ。その存在が知られるようになったせいで車内犯罪が減ったんじゃないかな。

――『ずばり東京』には未亡人に言い寄られる運転手も出てきますが。

最近は逆に女性の運転手が増えたので、運転手のほうがセクハラされかけた話は聞いたことがありますね。お客様に関しては男女の違いがなくなった。深夜でもひとりで乗る女性が多くなったし、昔、女性は近場ばかりといわれたけれどそうでもない。

――確かなものになる前の、まだ淡い段階の世相の動きを肌で感じられる仕事でしょう。景気のことも客からよく聞かれるのでは？

乗り方でいえばタクシー券の利用は減ってきました。一〇〇〇円以内なんて制限のついたタクシー券があるの初めて見ましたよ。役所の発行でしたけど。

――世知辛いですよね。アベノミクスで景気がよくなったという感じはしない？

ロングの客は減っている。ワンメーターの客が増えているので、最低運賃が値下げされると売り上げが減っちゃう。

――自己防衛する方法はありますか。

昔はスポーツ新聞で野球の試合とイベントをチェックし、終わる頃を見計らって会場周辺に行っていたらしいけど、今はスマホのニュースアプリでチェックしています。有料で購読しているニュースサービスもありますよ。交通情報サイトで鉄道の運転見合わせ情報を入手して対応するとか。

――IT化が進みましたね。

スマホは便利になりましたよね。外国人のお客さんも、なにか相談したいときにスマホで翻訳させて画面ごと見せてくれます。2020年五輪もこれでなんとかしのげないかと考えています。

――ネットもスマホも使えるようになって「走る密室」も変わりましたね。

今はGPSがありますから。会社からだけでなく、スマホのアプリでお客さんにもクルマの位置が分かるようになりました。自分が迎車を頼んだクルマがもうすぐ到着するからビルの外に出て待っていようとか判断できます。

■匿名の存在になれる場所

開高健は何人ものタクシー運転手に話を聞いて「西鶴と『デカメロン』をごちゃまぜにし」たようなエピソードを幾つも拾い上げた。今回、話を聞いて、今のタクシーにそれを望んでも果たせないだろうと感じた。情報技術の進化は、都市を漂流する密室の位置にタクシーを留めて置くことを許さなかったようだ。今やドライブレコーダーが室内を一瞬の隙なく記録し、どこを走っているか、どこで油を売っているかの位置情報も刻々と営業所に伝えられている。だが、すべてが変わったわけではない。取材に協力してくれた運転手がこんな話も聞かせてくれて、思いを新たにした。

お客さんがぼそぼそ話をするのを聞いているうちに分かったんだけど、どうも自殺願望があるらしい。乗せている間、ずっと話を聞いてあげて、降りる時に「まだ死にたいですか」と尋ねたら「もう少しがんばってみようと思った」と言っていました。タクシーのなかだから普段は話せないことが話せる。話を聞いてもらうことで、少しでも気が晴れれば、そんなことで人助けできる仕事でもあるんだなと思いました。

情報化が進むなかで人々は様々に繋がる。タクシーの場合も、ネットワーク経由で刻々と情報がやりとりされているが、未だにその車内は、自分が何者であるか名乗らずに客が乗り込める場であり、かろうじて匿名的な存在になれる空間のようだ。そんな車内だからこそ話せることもある。

名乗らずに使えるネット上のサービスを利用して、匿名の相手を同じ悩みの持ち主と信じて「死にたい」と愚痴を言ったら、弱みにつけこまれて暴行されて殺されてしまったという事件も二〇一七年に発生している。タクシーの車内は、そんな暴力あふれる大都市のなかで、いまだ特別な一角たりえているらしい。

東京のタクシーが世界一安全だと言われる時、事件や事故がないことだけでなく、移動中のひとときに限られるが、世間のしがらみを離れた匿名の存在に危険を伴うことなくなれることも評価基準に加えてほしいものだ。そんな場所で一息つくことが、都市生活にとって絶対に必要なものなのだから。

こうして都市になくてはならぬ存在であるタクシーだが、２０２０年五輪を前に東京ではこれまでと違うかたちのタクシーが盛んに走り始めている。

■街の風景を変える「ジャパンブルー」のタクシー

そのタクシーはエンジンを鼻先に収めたボンネットの後ろに、背の高い、大きめの客室を背負って走る。全長はセダンよりも短く、小柄な印象ゆえに、どこかリスのような小動物が路地をくまなく駆け回る姿を連想させる。それが「JPN TAXI」（ジャパンタクシー）だ。

東京オリンピック・パラリンピックのワールドワイドパートナーであるトヨタ自動車製のタクシー車両として「TOKYO2020」のロゴのラッピングを後席ドアに付けているクルマも多く、来るべき五輪気分を盛り上げるものとして報道されることも多い。

そんな「JPN TAXI」の開発を担当したトヨタ自動車製品企画チーフエンジニア、粥川宏氏に話を聞いた。

――どんな経緯で開発が始まったのですか。

粥川　トヨタは日本人の手で初めて乗用車を作った企業ですが、その頃は自家用車需要がほとんどない時期ですから法人に主に買ってもらっていました。そうした法人仕様車のなかにはタクシー用の自動車も含まれ、私たちが代々のタクシー用の車両を作り、事業者に使っていただいて意見をフィードバックして改良するという、持ちつ持たれつの関係でやってきました。

そうしたタクシー専用車としてはクラウンコンフォートという車種を一九九五年に提供して以来、時間が経ち、ずいぶん前から見直しが必要という声が出ていたのです。法人タクシー事業者の経費内訳は七割が人件費、一割弱が燃料費、残りがそれ以外と言われています。メーカーとして貢献できるのが燃費ですが、コンフォートはLPG仕様。止まったり走ったりを繰り返し、低速で走る時間が長いタクシーこそハイブリッドの良さが活かせるのにご用意できていなかった。

――プリウスのタクシーにはずいぶん乗せてもらいましたが。

粥川　あれはタクシー事業者さんが一般向けのプリウスを買って使ってくれていたのです。トヨタとしてはやはり専用車を作って提供したい。というのも法人タクシーの車両は東京では四〇～五〇万キロ走る。退役した後も中古車として売買されて地方都市や海外でまた走る。コンフォートはそうした使われ方に耐えるように作っていました。香港もタクシーは全部コンフォートな

都内ですっかり定着した「JPN TAXI」　写真：アフロ

のですが、二〇〇万キロ走っているクルマもあります。

――あの半島の先っちょと島だけのちっこい版図のなかで地球五〇周分も走るんですか！　そこまで走るクルマを作るには、確かに衿をただして臨む必要がありそうですね。「JPN TAXI」のお披露目はたしか二〇一三年のモーターショーに出展されたコンセプトカーでした。

粥川　まだまだ市販の目処が立っていない時期で、普通に考えたら早過ぎるのですが理由がありました。二〇一二年から開発を始め、世界のタクシー事情を研究し、日本中のタクシーの利用法を再検討した結論として次世代のタクシー専用車はワゴンタイプにしたいと決まっていたのです。

――ワゴンタイプといえばロンドンタクシーが有名です。空港から狭い路地の隅々までそれこそどこでも走っていて、乗り心地は多少ドタバタしているけれど、通りの名前と番地を言えば、確実に目的地の正面にすっと着けてくれる。

粥川　タクシー専用モデルは世界広しといえどもロンドンタクシーとトヨタのコンフォートし

かなく、似た面もあるのですが、あちらは誰にでも乗りやすいタクシーを目指すユニバーサルデザインの発想を昔から盛り込んでいました。そこに学ぶべきものがあると考え、私が開発に携わったシエンタという乗用車をベースにタクシー専用車を開発することを決めました。シエンタも床を低くフラットにして、乗り降りしやすく、乗り込んだ後で車内での移動を楽にしようとしていたので、タクシーのベース車両にふさわしいと考えたのです。ただコンフォートのようなセダン型から印象が大きく変わりますので、開発の早い段階でお披露目して、高齢化が進むなかでタクシーも変わってゆく必要があることを事業者のみなさんだけでなく、一般のユーザーの方々にも理解してもらおうとしました。

■タクシーを街のアイコンにしたい

――開発中、特に意識したことは？

粥川　自家用車と違ってタクシーの場合はリアシートに座るわけで、リアシート中心にデザインや装備を再検討しています。室内の高さを確保して背の高い人でも閉塞感なしに乗れるようにするのはロンドンタクシーと同じ発想ですが、シートや客室空間については乗り心地や静粛性を求めてきた日本のタクシーの歴史を活かそうとしました。安全性を確保するために後席にもカーテンシールド式エアバッグを着けましたし、シートベルトの着用を促す表示や、暗いなかでも装着しやすくするためにシートベルトの取付部にＬＥＤ照明をつける工夫などもしています。これらが結果的に日本ならではの〈おもてなし〉の精神を表現することになったのではないかと思います。

――ご自身が交通事故に遭って車椅子で生活するようになった川崎和男さんという工業デザイナーに話を聞いたことがあって、彼はユニバーサルデザインを最も実践している自動車メーカーはフェラーリだと言っていました。その理由は工場まで赴けば特注で運転手に合わせたシートを作ってくれるからだそうです。きめ細かなパーソナライズを可能にして、障がい者をも含めて誰にでも使いやすいクルマを生産できるシステムを持つことこそユニバーサルデザインだというわけです。説得力を感じましたが、それは自家用車の論理です。タクシーのユニバーサルデザインはそれとは違う。

粥川　タクシーは誰が乗るかわからない。となると、できるだけ多くの人に、できるだけ心地良く乗っていただけるように作ることになると思います。たとえば「JPN TAXI」は車椅子のまま乗り込める設計ですが、障がい者の方からみた純粋な使いやすさでは専用設計の福祉タクシーのほうが上でしょう。ですが福祉タクシーは車両価格とタクシーの運賃の両方が高くなる場合があるし、事前に予約が必要なので決めた時間で移動しなければいけない。そこで今回は福祉車両とセダンの間を埋め、健常者から障がい者までカバーできるクルマをまず普及させるべきだと考えました。

――オリンピック開催を意識したのでしょうか。

粥川　開発開始は誘致がまだ決まっていない頃です。ただ五輪開催のタイミングと重なって良かったこともあった。今回、深藍《こいあい》色をテーマカラーに設定しました。格式ある場所の落ち着いた光の中ではほぼ黒に見えますが、明るい光の中では鮮やかな青に表情を変える。このテーマカラー設定には思いがあります。日本の都市の景観を悪くしているのはタクシーじゃないかと言われたことがあって、確かにタクシーは色がバラバラで調和を欠いている。そんな状況を改善するためにメーカーから色を提案したいと思ったのです。藍色は日本の伝統色、明治時代に日本を訪れた外国人は藍色がとても印象的だったようで「ジャパンブルー」と呼んだとも聞いています。この色のタクシーが増えて街のアイコンになるといいと思いました。ロンドンタクシーも街の顔になっているし、一種の観光資源にもなっている。五輪が決まり、深藍色のボディに五輪ロゴをラッピングした特別限定車を用意したところ、タクシー事業者さんがそのモデルを採用してくれた。外国からの来客が空港を降りて最初に目に入るのが乗り場に並ぶタクシーですから、日本の、東京のイメージ作りに少しでも役立てたらと思っています。

■ユニバーサルデザインとしての「おもてなし」

五輪誘致を訴えた二〇一三年のＩＯＣ（国際オリンピック委員会）でのスピーチで滝川クリステルが用いて以来、一種のバズワードになった「おもてなし」という言葉を粥川さんも使っているが、話を聞いていて、それはユニバーサルデザインの翻訳であり、応用でもあるのだと思った。「JPN TAXI」には、多様な人が集う都市に必要な公共財、共有材となるためにタクシーはどうあるべきかという思考が結実している。

ロンドンタクシーがどこかユーモラスなワゴンスタイルで登場した背景には、地縁や血縁を超えて多様な個人が生活するロンドンという街の存在がある。そこでは、大きな荷物を持ち運ぶ移民から高齢者、障がい者に至るまで、移動する自由を誰もが有する基本的人権とみなす価値観が定着しており、それがタクシーのかたちにも結実している。

多様性を認め、基本的人権という概念を理解しているかといえば、東京、そして日本はまだまだ道遠しの感があるし、むしろ逆行する動きが目につくこともある。

「JPN TAXI」はそんな状況に投じられた一石だ。

ちなみにその車体サイドに「オリンピック・ラッピング」として「TOKYO2020」のロゴのラッピングを付けているクルマが多い話は先に書いたが、そこにはSTART YOUR IMPOSSIBLEというトヨタが採用しているスローガンも書かれている。

実はこちらはちょっと別の意味で主にネット上で話題にもなった。英語として文法的にヘンだ、YOURが掛かるのは名詞のはずで形容詞のIMPOSSIBLEであろうはずがない。五輪観戦で東京を訪ねた外国人がこんなおかしな英語文をボディに貼り付けたタクシーに出迎えられたら嘲笑、哄笑、冷笑するのではないか、というのだ。

確かに文法的に破格だというのはそのとおりだ。自分自身の英語コンプレックスも手伝って、こんなに不自由な英語力を日本人はまずやり直しましょうと言われているような気もする。

だが、その一方でグローバル企業のトヨタが日本人にしか通じないような英語表現を使うだろうかとも思うのだ。実際、英語のWEBサイトでもSTART YOUR IMPOSSIBLEは堂々と使われている。英語を母語とする人のほうが破格や通常使わない品詞の用法に面白さを感じる余裕があり、第二言語として後から学んだ人のほうが習ってきた文法との齟齬が気になってしまう、ということなのだろうか。

判断に迷い、悩んだ挙げ句に広報スタッフに確認してみたら、きちんとネイティブチェックも経ていると説明された。辞書的には例があまりないが、ここではIMPOSSIBLEを名詞的に使っている。「すべての人の移動の自由を」というトヨタのモビリティ会社としての新たなチャレンジに向けた方向性を示している、とのことだった。

要するにあらゆる不可能性――もしろん障がいのために出来ないことや、自分で自分の限界を感じて行動を諦めてしまうようなことまでを網羅してIMPOSSIBLEの語で示し、それを乗り越えてゆくスタートを切ろうと言いたい。そんな思いを込めて、あえてIMPOSSIBLEの形容詞を名詞的に使っているようだ。

それぞれが抱える不可能性、IMPOSSIBLEなことがらを含めてそれぞれの人権をまるごと尊重し、それぞれの不可能性に基づく不自由を乗り越えてゆける社会作りを目指す。そう考えれば、そのメッセージは移動のユニバーサル化を指向するというトヨタという会社の、そして、その理念の実現のために公共交通に送り込まれた切り札であるらしいJPN TAXIのコンセプトとも響き合うのだろう。

願わくば、それが美辞麗句として終らないことを――。こうして走り出した新しいコンセプトとデザインのタクシーが広げる波紋の伝わり方次第で、五輪後の東京の、おおげさにいえば日本の行く末が決まるのかもしれない。

3 六本木ヒルズ森タワーから谷底を見れば……

（2018年12月6日、14日掲載）

開高健の『ずばり東京』に東京タワーの展望台から東京の街を見下ろした章がある。

一千万人の都をガラス窓の内側から見おろして私は深い息を吸い込み、吐きだす。あるフランスの小説の若い主人公はモンマルトルの丘の頂にのぼってパリ市を見おろし、パリはおれに征服されるのを待っているといって、勇気リンリンうそぶくのであるけれど、私はそんなヤニッこい、しぶといことを考えない。コカコーラを一本飲んでから、おもむろにタバコを一本ふかし、空へ眼をあげるのである。そして、ああ宇宙は広大であるよと考え、気の毒なミジンコのごとき人類よと考えるのである。

（「東京タワーから谷底見れば」）

人類よ、と呼びかけてすっかり神がかった気分になっていたらしい開高は、眼下に視線を移して自分がそれまで見ていなかったものに気づいた。

東京ニ木ガアル！

心の中で思わず叫んだ開高の眼に入ったのは青山墓地や新宿御苑などの大きな緑の塊ではない。「フジツボのようにおしあいへしあいくっつきあっている人家」が庭をつくろうとし、木を生やそうとしていた。猫の額のような庭には木が一本だけだとしても、都内全体では何百本、何千本、何万本という数字となり、上空から見下ろすと「〃緑の都〃が煙霧の底から浮かび上がって」くるのだ。

開高はそこに矛盾をみた。

煙霧の底であえぎつつ自分の寝室の坪数を切りつめてでも庭をつくろうとする私たちは、それほど自然を尊重しながらも、公共の自然ということになると、手のひらを返したように冷淡であり、粗暴である。たまさかの並木道や公園の汚れかた、傷《いた》みかた、衰えかたは何事であろう。

（同書）

おそらく広い公園があるパリやロンドンを意識しつつ開高は提案をする。

東京都内にある個人の家の個人の庭は、全部集めたら、かなりの面積になるだろう。それをみんなが、涙を呑んで公共のために提供するというわけにはいかないか。

そして、そのかわり、個人の庭を道にとかして、住居を高層アパートにしてしまうかわり、公園と並木道をすばらしいものにする。自分の家の庭がなくなれば、日本の公園や山は、ずっときれいになるだろう。

そしてほんとに石の町に暮すときの緑のよろこびがどんなものであるかということを、いまよりもっと鋭く深く理解できるようになるだろう。庭をとりあげられるのがイヤな人は、しようがない、どこか地方の風光明媚な町へいって暮してもらうことだ。（同書）

この「個人の家の個人の庭」を「全部集め」て「公共のために提供する」という気まぐれな思いつきは、現実のものとなった。

■銭湯跡地から再開発が始まった

開高が東京タワーに上ってから五五年後に六本木ヒルズ森タワーに上ってみる。五二階の展望フロアからみると、距離と角度のマジックなのか、実際の背丈では勝るはずの東京タワーが眼下にひれ伏しているように感じられる。東京タワーと同い歳で、それこそ東京一の象徴だと思ってきた筆者は、縮んでしまった鉄塔を前にして子供の頃は見上げるようだった親の身体が年老いて小さくなってしまったような気分に襲われつつ、下界を見下ろす。そして開高と同じく東京にこんなに緑が多くあったのかと驚くのだ。

しかも、それは「フジツボのように」ひしめきあう民家の庭の木が見えているのではない。そ

六本木ヒルズ森ビルの展望台から東京タワー側を見る（撮影：筆者）

れらを寄せて集めた緑の確かな塊だ。

六本木ヒルズからも見下ろせる六本木通りは64年五輪時の東京大改造で拡幅され、道路上に首都高が走るようになった。拡幅工事で沿道に密集していたアパート等が取り壊され、住民も移転した。あおりを食ったのがアパートの住人を常連客としていた「高島湯」という銭湯だった。商売あがったりとなって暖簾《のれん》を下ろし、跡地が売りに出される。

それを六七年に買ったのが森泰吉郎《たいきちろう》だった。森泰吉郎は明治三七（一九〇四）年生まれ。横浜市立大学で貿易論を講じる学者だったが、生家が代々営んでいた不動産業にも関わっていた。

やがて泰吉郎は貸しビル業に乗り出し、まず西新橋の生家跡の三〇坪強の敷地に四階建てのビルを建てた。最初なのに第2森ビルと命名されたのは、日本石油本社ビル向かいにビルを建てる計画が先に着手されており、こちらを第1森ビルと命名していたのだが、資金繰りに手間取って完成の順番が逆転してしまったせいだった。こうした番狂わせはあったものの本格的に貸しビル事業に着手しはじめた泰吉郎は五九年に大学を辞め、森ビル株式会社を創業している（森泰吉郎『私の履歴書』）。

貸しビル事業を展開するうえで片腕となったのが泰吉郎の次男・稔だった。当時、稔は東大生だったが肋膜炎を患って留年、自宅で療養しつつ小説家を目指していた。そんな稔に泰吉郎は不動産業の手伝いを命じる。

にわか仕立ての業務部長の名刺を手に周辺の権利者を回る日々を送るうちに稔は仕事の面白さにすっかりのめり込み、第2ビルの四階に管理人を兼ねて住み込むようになっていた。ビルの屋上に、東大新聞部で二年後輩だった江副浩正のためにバラックを建てて貸してやった稔は、リクルート社を創業することになる江副と米国流の経営法や将来についてしばしば話したという（森稔『ヒルズ　挑戦する都市』朝日新書）。

森不動産は五九年に森ビル株式会社に発展。以後、番号をふった貸しビルを次々に作ってゆく。そんな森ビルが転機を迎えたのが、この高島湯跡地の入手だった。西新橋、虎ノ門周辺をビジネスの中心としていたが、泰吉郎は教会員だった霊南坂教会の礼拝に通っており、あたりを散策する姿がよく目撃されていた。

入手した土地を種地に更に周辺の土地を寄せ集めて共同ビルを建てようと森親子は辺《あた》りの地権

者に声を掛け始めた。そこで追い風として吹いたのが六九年に公布施行された都市再開発法だった。

いざなぎ景気が進行中で都心のオフィス需要が高まることを予測した行政は、戸建て住宅の密集地区を高層化する際の便宜を図るべく都市再開発法を作った。それによれば権利者の三分の二の賛成が得られれば、自ら事業の推進権を持つ再開発組合を設立でき、再開発組合で合意がえられれば、それまでの権利を再開発後の建物に引き継ぐ「権利変換」を進められる。つまり再開発組合の設立まで進められれば、立ち退きを拒む権利者が残っていても再開発が進められるようになったのだ。

■トマソン煙突の上に立つ

七一年に東京都は都内七カ所の再開発構想を発表し、高島湯跡地に隣接する赤坂六本木地区もそのひとつとした。貸しビル業という「点的」な事業を営んでいた森ビルは、以後、行政とタッグを組んで赤坂六本木地区の再開発という「面的」な事業に取り組むことになる。

その過程を記録した貴重な写真がある。一脚に取り付けたカメラを上空に高く掲げ、セルフタイマーを使って撮影者自身を自撮りした。撮影者が立っている小さな円形のリング状のものが煙突のてっぺんだと気づくと途端に高所恐怖症に襲われてクラクラする。対角魚眼レンズの画角は、小さな家が密集している煙突の立っている周囲の光景を写し出している。小さな家屋が密集した風景こそ後に「アークヒルズ」の名のもとに再開発されることになる場所を煙突の上から俯瞰した光景なのだ。

その写真を撮影したのは飯村昭彦氏。東京西郊の氏の写真スタジオを訪ねてみた。

「アカセガワさんの生徒だったナガサワくんが〈こういう煙突があるらしいんだけど、写真がないんだよね〉って言うので、それは撮っておこうということになった」

撮影は八二年。飯沼氏が二九歳だった頃だ。それから既に四〇年近い時が流れている。

アカセガワさんと呼ばれているのは、美術家・作家の赤瀬川原平だ。当時の彼は自分が教えていた美学校という独立系の美術学校の学生——ナガサワくんはその一人だった——や、仲間を集めて町中を散策しては写真を撮影する「トマソン観測センター」と名乗る活動をしていた。

赤瀬川が探そうとしていたのは無意味・無用でありながら「生産至上主義社会」の中でなぜか存在している都市内の物件。たとえば登って降りるだけの階段。開けると中が壁になっている扉などなど。いずれも以前は機能を果たしていたのだろうが、なんらかの事情で機能を失い、これまた何かの事情で役にも立たないのに残されている。そんな町中の遺物＝異物を、契約金一億円で移籍したが空振り続きで役に立たなかった元大リーガーの巨人軍野球選手のゲーリー・トマソンにちなんで赤瀬川は「トマソン物件」と呼んで、その探索を行っていたのだ。

その煙突もトマソン探査中に発見されたものだった。再開発予定地の麻布谷町で風呂屋はすでに解体されてなくなり、煙突だけが残っているという。まさに無意味・無用なトマソン煙突である。話を聞いて興味を感じた飯村氏は、さっそく煙突の撮影に出掛けた。

■「ビルに沈む町」と「垂直の庭園都市」

GPSもなかった頃のこと。飯村昭彦氏が迷いながら歩いてゆくと件のトマソン煙突に遭遇する。

確かに駐車場になっている更地の中にそれだけ屹立している。周囲はバリケードで囲われていたが、中に入ることができた。見ると煙突の側面に取っ手が残っていたのでハシゴのように登って上から撮影してみようとする。

ところが、煙突のてっぺんまで登ってはみたが、その時に持参していた24ミリレンズでは画角が足りず、煙突上部のコンクリートの表面を舐めて写すのが精一杯だった。

そこで飯村氏は一度、撤退し、今度は魚眼レンズを借りてきて再挑戦する。

同じようにてっぺんまで登って今度は煙突の上にぺたんと座ってみた。風の弱い日を選んだつもりだったが、それでも煙突はゆらゆらと揺れている。煙突のてっぺんをリング状に配して、その周囲に再開発予定地が広がる写真が撮れれば面白い。そんな写真を撮ろうとしている撮影者自身が写り込んでいればなお面白いと、色々目論んでいたが、てっぺんに腰掛けてフチにつかまっている手を離して煙突の上に立ち上がるのはさすがに勇気の限界を超えていた。「まず少し慣れようということで三〇分ぐらい周りをみていましたね。で、そろそろやるかということで意を決して、リュックから一脚を取り出して……」。

自撮り棒がなかった頃に、撮影者自身が写り込み、その背景に変わりゆく街の景色が広がっている写真にはトマソン探しの首謀者だった赤瀬川も度肝を抜かれ、自著（『超芸術トマソン』）の表紙に採用している。

写っている煙突は森ビルが跡地を最初に取得した高島湯とは別の、天徳湯のものだ。大正時代から営業し、永井荷風の日記『断腸亭日乗』にも出てくる由緒ある銭湯だったが、再開発計画が決まって客足が去るのが明らかとなり、天徳湯も早い時期に土地を森ビルに売っていた（一九七〇年の地図には既に駐車場と表記されている）。

アークヒルズの再開発予定地区内には土地所有者約一五〇人、借地権者八〇人、借家権者二二〇人がいた。都市再開発法は過去に施行事例がない。住民は戸惑い、強い反対運動も起きていた。

赤瀬川原平『超芸術トマソン』（ちくま文庫）

飯村氏が最初に足を踏み入れたのは、そうして困難を極めた再開発への合意形成がほぼ済んだ頃で、町並みは残っていたがもはや無人に近い状態だった。町内会の人とも繋がって自由に撮影できるようになり、主がいなくなった家に入ると、壁に山口百恵と三浦友和の色褪せた結婚写真が貼ったままになっていたことがあった。二人は再開発で移転する前の霊南坂教会で式を挙げたのだ。元職人の住まいだったらしき家には道具が置いたままになっていた。
「ある瞬間をもってそこでの暮らしが終了したので生活の断面が残されている。礼服が残っていて、ポケットに入っていた名刺をみると進駐軍関係の仕事をしていたのがわかったりして、そういうのはもうたまらなかったですね」
飯村氏が言う。震災でも戦災でも失われなかった古い街並みの時間が突然止まり、生活がすぱっと切られて断層を生々しく見せている。飯村氏はそれを目撃し、できるだけ写真に収めようとしたが、権利処理が終わると建物はすべて壊されて更地になり、ビルを建てる工事が進んだ。長い時間をかけて作られてきた町が消えるのはあっという間だった。
自分でもその地域を訪ね歩いた赤瀬川の書いた「ビルに沈む町」というエッセーが当時の様子をうまく表現している。

ダムに満ちていく水みたいにして、凹んだ町にビルが満ちていくのです。そのビルの重圧にのしかかられて、人家の屋根が身悶えしているようでした。古い町があちこちで新しくなっていきながら、町全体が身悶えしているのです。

（赤瀬川原平『超芸術トマソン』ちくま文庫）

一九八六年に完成したアークヒルズで森稔が強く意識したのは緑の配置だった。再開発交渉に

上下とも提供：飯村昭彦氏

あたっていた時、「蟬を返せ」をスローガンにした反対運動が起きたことがあった。開発＝自然破壊という社会通念に対して、森稔は都市に自然を作り出す開発方法もあることを示そうとした。そこで敷地の周りに一五〇本の桜を植え、建物の屋上を含めて七つの庭園を敷地内に配置した。結果的にアークヒルズの緑被率は二三％に及んでいる。

アークヒルズが完成して八年目の夏、森稔は敷地内にたくさんの蟬の抜け殻を見つけ、蟬の声を聴いて、「アークヒルズ生まれの蟬」だと感慨にふけったという（森稔『ヒルズ　挑戦する都市』朝日新書）。それ以後、森ビルはヴァーティカル・ガーデンシティ（垂直の庭園都市）を開発のコンセプトに掲げるようになる。計画なしに作られ、「水平過密、垂直過疎」となっている町を再開発し、垂直に機能を積み上げるかたちで都市機能を効率的に再配置、新たに生み出されたスペースを緑地にする。九三年に逝去した泰吉郎を継いで社長となった森稔が再開発事業法を再び利用して完成させた六本木ヒルズはまさにその実践であり、屋上に田植えもできる庭園を作って話題を集めた。森ビルだけでなく、高層ビルを建てる際に緑地を配置する手法は現在では定石となっている。六本木ヒルズの高層展望台から見下ろせる緑の群塊はこうして作られたものだ。

■環状二号線と2020年五輪

そして「垂直の庭園都市」構想は2020年五輪に繋がってゆく。

ここでは環状二号線という都心部の幹線道路に注目したい。その道は一九四六年に戦災復興院によって都市計画決定され、ドッジプランの財政縮小で道幅が当初案の一〇〇mより四〇mに狭められたものの大部分が完成したが、南端の新橋―虎ノ門間だけ半世紀以上も未通のまま残されていた。うかうかしている間に復興が進んでしまい、権利関係が交錯して行政も手を出しにくかったし、外堀通りが並行しておりそれほど交通上の需要が高くなかったためだった。

この未開通部分の運命を激変させたのが、臨海部の開発計画だった。日比谷通り＝国道一五号に合流して終わっていた当初の路線計画を一九九三年に変更、貨物駅跡地を再開発して近代的な高層ビル街となった汐留地区の真ん中を貫通させ、さらに築地、そして隅田川を渡って晴海埠頭、有明に至らしめることになった。

この計画を実行に向けて勢いづけたのが二〇二〇年の東京五輪誘致の決定だった。臨海部の選手村や会場を都心とつなぐ交通動線が求められ、環状二号線にその役目が期待されたのだ。

そんな環状二号線の未開通区間建設に「垂直の庭園都市」構想が生かされる。二〇〇二年に東京都が市街地再開発事業として計画決定し、未開通部分は本線を地下トンネル方式に、地上部は「広幅員歩道によるふれあいとゆとりの空間軸」とする二階建てとして作られることになった。そして日比谷通りや湾岸方面へ通過する車両が虎ノ門側からトンネルに入る入口部分をまたぐように森ビルの虎ノ門ヒルズが作られることになる。森稔自身は一二年に逝去したが、「垂直化」の手法はここにも採用されており、捻出された空間スペースに緑地が組み合わせられた。

■アークヒルズに「エントツの霊」!?

こうして、アークヒルズ・プロジェクトの起点となった高島湯の土地が売りに出される原因を作った64年五輪の首都高建設から、環状二号線を必要とする2020年東京五輪のために道路と一体化された新しい高層ビル建設に至るまで、森ビルの都市再開発史は二つの五輪の間を貫く一本の糸としてある。歴史の糸を巻き戻すように最新の虎ノ門ヒルズからホテルオークラ東京の脇を抜けて最初の再開発事例であるアークヒルズまで歩いてみた。

そのコースを通るとアークヒルズに南側からアプローチすることになる。すると、なんと煙突が眼前に登場するのだ。

アークヒルズの完成直後の一九八六年に同じコースを歩いた赤瀬川が書いている。

私は一瞬、自分の目を疑った。自分の目を疑うとはこのことだろう。もちろん昔のエントツではない。コンクリートの新品の白いエントツである。だけど太さは同じくらいで、平然と建っている。

(赤瀬川原平「『全環境都市』アークヒルズに天徳湯のエントツの霊がすべり込んでいた」『中央公論』一九八六年八月号)

その正体はアークヒルズ全体の空調や電源供給を行う集中設備の排熱塔だった。赤瀬川はかつての記憶を辿って排熱塔の位置が天徳湯の煙突と「ほとんど同じ場所」かせいぜい「道幅一本くらい」の違いだと判断し、こう書いている。

企業の経済原則にも隙間があったのだろう。すべての効率を計算してこのアークヒルズは設計されている。その計算の中に、天徳湯の霊が滑り込んでいたのだ。あるいはこの麻布谷町の地形に潜む霊かもしれない。それともエントツのてっぺんの切り口に立った飯村くんのパフォーマンス霊ということも考えられる。（同上）

これは赤瀬川一流の見立て芸であり、正確にはアークヒルズの排熱塔とかつての天徳湯の煙突の位置は道幅一本以上ズレている。それはご愛嬌だが、再開発は過去の記憶すら消してしまうので、かつてそこにあったものを想像力で蘇らせてみることには大きな価値がある。

■人々の暮らしが水平に交わるところで

たとえば本稿を書く過程でいろいろ資料を探していて、六本木通りから天徳湯に向かう往時の谷町仲通りの写真をネットで見た（「アークヒルズ草創期」）。

道の両側に蕎麦屋があり、薬屋があり、夕方の開店に向けて支度中の居酒屋がある。八百屋は軒下に野菜を並べて狭い道幅を更に狭くしており、火事や病人が出たら消防車や救急車が入れずに難儀しただろうが、そこには確かに人々の生活の息吹が濃厚に感じられる。料理をすればその匂いが漂い、風呂上がりの女性は石鹸の香りをさせていただろう。

体温や体臭まで感じさせるような都市の賑わいは、人の暮らしが水平に交わるところに生まれる。垂直に機能分化させた街では観光や消費、リクリエーション等々とやはり機能分化した出会いがあるが、生活をまるごと交錯させることはできない。

思えば谷町仲通りの家々も小さな庭を作ったり、軒下に植木を飾ったりしていたはずだ。東京タワーの上から谷底を見下ろした開高のまなざしの先にあった緑は、それぞれの生活の中で、近所の人の眼にも憩いを与えようと住民が丹精込めて面倒をみていた植物だ。対して再開発で創り出される公園の緑は、公共的に管理されるもので、町の庭木を寄せて集めて作られたものではない。

世界の都市と比較して東京に公園スペースが少ないこと、無計画に増殖し、密集した町並みが、効率に欠け、防災面で問題を抱えていたことは間違いない。その解決に森ビルをはじめとして都心の再開発事業が大きく貢献したことは認める。だが都市とそこでの人々の暮らしは、どこかの下着メーカーの宣伝のように「寄せて上げ」れば見栄え良く再建されるほど単純でないことも一方の真実であろう。

上空から見下ろすまなざしは垂直の正義をみようとして、時に人々の暮らしの水平の真実を見失わせる。このことには注意深くありたい。

4 年に三九六万個。遺失物に見る世相

（2019年2月21日、3月4日掲載）

「ずばり東京」を連載していた一九六三年末、開高健はその年最後の刊行となる週刊誌に掲載されるにふさわしい〝シメククリ〟の題材を探していた。

思案の結果、飯田橋の「遺失物収容所」（と、開高は冗談めかして呼んでいた。当時の正確な名称は「警視庁総務部会計課遺失物管理所」）を開高は訪ねる。

いままでに私が行った国では、イスラエルがいちばん小さい。総面積が四国ほどしかなく、人口は二百万である。それでも国連に席を持ち、空港には完全ジェットの長距離旅客機を持っている。東京の人口は一千万なのだから、人口だけからみると、立派な独立国を五つもかかえこんでいることになる。

この一千万の人間がじっとしているのならべつだが、世界一のあわただしさで、血相変えて、右に左に、東西南北へ走りまわるのであるから、その体からはじつにさまざまなものが遠心分離機にかけたみたいにとび散るのである。とび散ったものはネコババされたり、交番

にとどけられたりするが、とどけられただけでもその数字はちょっと想像を絶するものがある。

以後、開高は〝とび散っ〟て拾われ、届けられて遺失物収容所に運びこまれたモノどもの来し方、行く末を縷々《るる》書いてゆく。

■忘れ物、落とし物の日本史

人の歴史は、忘れ物、落とし物の歴史でもある。そして、その対応の歴史である。日本では六〇二（推古一〇）年に始まる聖徳太子による法令整備の中に、早くも遺失物に関する規定があったそうだ（石井良助『日本法制史概説』）。内容はスジを通して明快だ。ある者の所有物であることが明らかな物件は所有者に戻すべし。そんなシンプルな規定は鎌倉・室町時代にも引き継がれる。江戸時代になって、〝落とし物は持ち主の下へ〟の原則に加えて、落とし主は拾得者に一〇分の一の報労金を出すことや、三日たって所有者が現れない拾得物は拾得者のものになるという内容が加わる。これが近代的な遺失物の扱い、たとえば一八七六（明治九）年制定の遺失物取扱規則に実を結んでゆく。

東京市が遺失物を集中管理するようになったのは一八八一（明治一四）年。警視庁が設置されてまもなく馬車便で回って市中の落とし物を集め始めた。集められた忘れ物を求めて、「それはワタシのものだ」と落とし主が参集する〝メッカ〟に飯田橋がなったのは一九四一年から。家出人収容所として作っていた施設を用途変更して遺失物集積所にしたのだという。

一九四五年に集積所は空襲で焼失したが、四八年の四月から総務部会計課の附置機関として遺失物管理所が再開される。

開高がそこを訪ねたのは64年五輪に向かう坂道を東京の街が駆け上がり始めたころだった。そのあと、東京の街は坂を登ったり、下ったり、転げ落ちたりしながら今や二度目の五輪を目前に控えている。日本の人口は一一年前（二〇〇八年）を頂点に既に減少へと転じているが、東京の人口はいまだに増加中で、二〇一八年一一月で一三八五万人になった。

そんな東京の遺失物事情はどう変わったか。

■遺失物センターを訪ねてみた

取材で歩いていたのは年の瀬ではなかったが、そろそろ平成の世の終わりが見えてきていた。その〝シメククリ〟も意識して筆者も東京・飯田橋の「遺失物収容所」（正確な名称は開高の頃から変わって警視庁総務部会計課遺失物センター）に行ってみた。

まず遺失物管理所は一九七八年に改築されて現在の五階建てビルの遺失物センターになった。センターで取材に応じてくれた大久保昭二所長によれば「平成二九年に拾得された遺失物数は約三九六万個」だそうだ。開高が数えた時よりもさらに増えた人口が、相も変わらず右に左に、東に西に、南に北にと走り回るのだから「体から……遠心分離機にかけたみたいにとび散る」飛沫が増えていくことは予想できたが、開高の記事の遺失物数八七万個からなんと約四倍以上となっている。

改築なった遺失物収容所は一階に落とし主が訪ねる窓口と事務スペースがあり、それ以外のフロアはほぼ保管スペースとなって続々と運び込まれてくる遺失物を迎えている。

開高と同じように内部を案内してもらおうとしたが、そう簡単ではなかった。聞けば遺失物の特徴が知らされると、それを手がかりに「自分が落としたものだ」と言ってくる輩《やから》が現れかねない。トラブルを未然に防ぐためにセンターではこれまで傘を置いてあるフロアだけを取材に公開してきたのだという。

「そこをなんとか」と頼み込んで、鉄道事業者から落とし物が運ばれてくるフロアの見学と撮影が許された。ゆっくりと上下する人荷兼用の大きなエレベータの扉が開くと、フロア全体に棚が組まれ、棚の上には土嚢袋のような袋が所狭しと積まれていた。

その中に遺失物が入っている。使い込まれていたモノから滲み出す匂いを微かに感じさせるが、中身は見えない。分かるのはその袋がどこからやってきたかだ。たとえば「西鉄」と書いてある袋は、はるばる九州から届いたわけではなく、東京「西」部の多摩地区のJR駅で拾得された遺失物が入っている。同じように「海鉄」というのは、ロマンチックな響きだがJR東海を意味する符号だそうだ。要するに新幹線に乗って東京駅に届いた落とし物が詰められた袋なのだ。他に

東京・飯田橋の警視庁総務部会計課遺失物センター（撮影：伊ケ崎忍）

も東京都を走る私鉄の名前が記された袋がある。

誤解なきようにしたいが、ここは遺失物の〝終《つい》の棲家《すみか》〟ではない。運び込まれた遺失物は三カ月間保管され、名乗り出る落とし主を待つ。実際、建物一階の窓口ではひっきりなしに来客に応対していたし、倉庫フロアを見ているわずかな時間の中でも袋の中の遺失物を取りに来る職員の出入りがあった。データベースを照合すればその袋にどの日に搬入されたどの遺失物が入っているか分かる仕組みになっており、運良く落とし主と巡り会えた遺失物は引き取られてゆく。

しかしランデブーが許されているのは三カ月間に限られる。三カ月経つと鉄道事業者経由で運ばれた遺失物は鉄道事業者に戻され、そこで買取業者に引き取らせたり、廃棄処分されたりする。

ちなみに遺失物法では当初、最低で一年と一四日（最長一年六カ月と一四日間）、警察で保管することを義務づけていた。だが所有者への返還は三カ月以内に九九％弱が済まされ、六カ月経てばもはや動きがなくなる。そこで一九五八年に保管期間を「半年と一四日」に短縮するように法改正された（福永英男『遺失物法注解』）。開高が取材したのはこの時期だったが、二〇〇七年の改正でそこから更に三カ月に短縮されて今に至る。

■遺失物は世に連れ、世は遺失物に連れ

というわけで、ここは遺失物を三カ月預かるだけの〝中間貯蔵施設〟なのだが、それにしても相当の物量である。傘専門のフロアに移るともはや凄まじいの一言だった。「三カ月分で六万本以上はあると思います」。大久保所長が言う。

「ひと雨三〇〇〇本という感じです。二〇一八年は梅雨が少なかったので秋のほうが多かったですね。雨が降ってくると職業柄、また三〇〇〇本来るなと思ってしまう」

見せてもらえなかった他のフロアは鉄道事業者からではなく、いろいろ途中経由地はあったのだろうが、地元の警察署に届けられた拾得物が運び込まれている。こちらは三カ月経つと都の帰属物となり、やはり処分されることになる。

「遺失物が増えてゆくのは、ある意味、当然だと思いますよ」と大久保氏。「昔は、携帯電話はなかったし、今は音楽機器が持ち運びできるようになったのですから」。携帯電話や音楽プレイヤーが持ち運べるようになったのは電機メーカーの努力の結果だが、落とせるようになることまでは考えていなかったろう。

傘の忘れ物は「ひと雨3000本」(撮影:伊ケ崎忍)

「健康保険証も財布に入るようになった。昔は大きくて持ち歩かなかったので落とすことは滅多になかったはずです。マイナンバーカードもできた。昔は通勤通学する会社員と学生しか定期券を持っていなかったけど、今はみんなスイカやパスモを使っている。こうして色々なカードが増えたというのも件数増加の大きな一因でしょう」

確かに二〇一七年度の拾得物点数でいうと証明書類が七〇万点で首位、次点が有価証券類で五二万点だ。増えたカード類は性格によってこのいずれかに分類されるのだろう。以後のランキング上位は衣類・履物類、財布類、傘類、かばん類、携帯電話類、電気製品類と続く。開高の時には傘がトップで九万九〇〇〇本、以後、銭入れ、衣類、風呂敷(!)と続いており、持ち物内容の変化がそのまま遺失物品目の変化につながっている。

街の呼吸に合わせるように遺失物の傾向も移ろ

う。「年末になると宝くじが増えてきたり。冬場は手袋、帽子など衣類が多くなりますね。私の想像では、電車の中や街を歩いている時にスマホに夢中になったり、音楽に夢中になったりしていて注意力が薄れて忘れるのではないでしょうか」と大久保所長が言う。さらに「手袋は右手が多いように思うんですね。スマホを操作するのに右手の手袋を外して、そのうちに落としてしまうのではないかと思います」。それを調べてみたくて、手袋の場合は、右か左かを数えてみるように職員に言ったところ「忙しくてそこまでやってられない」と拒否され、落とした手袋の左右の偏りは未確認のままだと苦笑する。

拾得物リストの中には思わず首を傾げてしまうものも含まれる。たとえば松葉杖、たとえば車椅子……。どうして忘れたのか、忘れた後どうしたのか。

開高も書いていた遺骨入り骨壺の忘れ物は今もある。二〇一七年は三体だったが前年は一〇体あった。所長いわく「死体遺棄に関係するとか事件性が疑われれば別ですが、調べて何もなければ落とし物として扱い、三カ月すれば拾われた市区町村でなんらかの処分をします。区が契約している葬儀会社が直接取りに来ることもあります」。

納骨ができないので意図的に置きっぱなしにしたからなのか、あるいは他に事情があったのか――。遺失物は私たちに何かを語りかけたがっているように感じる。だが持ち主の手から離れてしまった遺失物は、その言葉を声にして伝えてもらうことがもはやできない。だから遺失物がどんな物語を背負っていたのかは、気になっても分からない。

しかし、個々の遺失物の声は聞こえないが、社会の変化の波がそこに示されていることは確かだろう。遺失物は世に連れ、世は遺失物に連れ、なのである。そしてその変化の波は平成末の今になって、眼に見えるかたちに結晶しつつあるらしい。

■平成の終わりと個人情報

開高健が『ずばり東京』で遺失物をテーマにして書いた一九六三年との大きな違いである、増加した証明書類の落とし物について、大久保所長は「情報物件（個人情報を含む落し物）と判断したら別に保管して三カ月経ったら廃棄します。拾得者には渡しません」という。

これは二〇〇七年施行の遺失物法改正で「携帯電話や運転免許証など個人情報が入った物については、落とし主が見つからない場合であっても、拾い主はその落とし物をもらう権利がなくなる」ことになったからだ。センターのフロアの一角に大型のシュレッダーが置かれていたが、断裁処分にしなければ廃棄もできないものが増えている。

増えたのは廃棄の手間だけではない。「持ちものに個人情報をあえて書かない世間一般の傾向がありますよね。名前や住所を書いてつきまとわれたりしたら怖いと思うわけです。しかし遺失物を扱う側としては、何か手がかりがあれば持ち主が分かるのにと口惜《くや》しい思いをすることが多々あります」。

個人情報保護意識の高まりは遺失物の持ち主探しをも変化させた。

「財布に落とし主の情報がなくても、中にキャッシュカードが入っていることがありますよね。その場合、カード番号を銀行に照会すれば、昔は誰のカードか教えてくれました。でも今は教えてくれない。自分たちから利用者に伝えると言うんです」

個人情報は警察関係にも迂闊《うかつ》には教えない。それは見事な遵法精神であり、非難される筋合いではもちろんない。しかし遺失物をひとつでも落とし主に返還したいと願う側としては、なかなか本人から連絡が戻らないと「本当に銀行は連絡してくれたのだろうか」「一度、連絡を試みて留守だったのでそのままになってしまったとか、行き違いがあったのではないか」といろいろ疑心暗鬼となりがちだ。

■返還率七割強の「性善説の街」

そして個人情報をめぐって遺失物の世界はもっと変わっていくだろう。

たとえば現金の拾得額は開高の時に「2億8千万エン」と記載されていた。それが今や約三七億円だ（二〇一七年）。株のバブルは破綻したが、まだ世間的には好景気の気分が持続していた一九九〇年が拾得金額で史上最高となり、以後は景気の縮小とともに額が減少していたが、二〇一六年に三六億円となって四半世紀ぶりに記録を更新、翌年にもそれを更新した。

一方、三七億円の拾得額に対して、遺失届が出された現金総額は八三億円だ。単純計算で差額は四六億円。これは未だに発見されずにどこかで眠っているか、発見者にネコババされてしまった金額ということになる。

　ネコババされずに拾得された三七億円に関しては、うち二七億円が遺失者に返還されている。これも単純計算だが返還率は七三％。同じ計算法で五六％だった開高の時代を大きく上回っており、データベース管理の精密化などの恩恵もあるのだろうが、開高が「東京では性悪説と性善説がほぼ同じくらいの強さで対面している」「正直な人の数は、想像するよりはたくさんであるようだ」と書いた言葉は裏切られていないどころか、更に性善説の街へと邁進したことになる。

　しかし、このフォーメーションはがらりと変わる可能性がある。現在、拾われて届けられたが、落とし主不明のまま三カ月が過ぎる現金は拾得された全体の約二七％。拾得者のところにもいかず都帰属となるのは四・八億円で全体の一三％だ。

　そこには現金独特の事情もある。他の品目はもし落とし主の手がかりに繋がる情報が記されていれば返還される可能性が高まる。しかし現金は違う。現金は今も昔も名前のない〝匿名〟の存在だ。記名はないし、どこでどう使われたかの履歴も残らず、発行年次や汚損の度合いが違う紙幣、硬貨であれどれも同じ価値で区別はつかない。だから現金を入れた財布や封筒に手がかりがない限り、届けられて持ち主を確認する作業はお手上げとなる。そして現金自体に記名はないので情報物件として処分されることもなく、都内で拾われたら都のものになる。

　それと対照的なのは携帯電話（今の呼び名ではスマホだろう）だろう。持ち主へ返還される比率は八二・六％と他品目を凌駕して多い。電話帳やメールアドレスのデータベースであり、様々な個人情報を含んでいるので落とし主が現れなければ情報物件として処分される運命にあるが、持ち主にしてみれば生活必需品なので、見つからないとなれば青くなって探し、センターに保管されているとわかればすぐにも取りに来るのだろう。

このように個人情報の記載がない現金と、個人情報の権化のようなスマホとはいかにも対照的だが、そんな異種同士が今や繋がりつつあるのだ。スマホを掲げてピッと電子決済する方法が日本でも普及し始めている。スマホが現金代わりになる結果、現金を持ち歩かない傾向は今後増えてゆくだろう。現金を持ち運ばなければ落とすこともなくなる。

■平成の最大の落とし物は「平和」だった?

では、現金を落とさない時代の幕開けになりそうな平成の最後の時期に逆に落としつつあるものはないのか。

冒頭で紹介したように開高は東京の人口密度の高さを強調するために、自分が訪ねた最も小さな国としてイスラエルを例に出していた。それに倣《なら》って筆者が訪ねたなかで最も小さい国を挙げればブルネイ・ダルサラームだ。ブルネイと通称されるこの長い名前の小国はマレーシア領に隣接するボルネオ島北部に位置し、湾の凹みを虫歯の詰め物のように覆っている。総面積は五七六五平方キロメートル、イスラエルの約三分の一だ。とはいえ東京より二倍以上の広さがあるが、そこに二〇一七年には四二・九万人しか住んでいない。

つまり開高がこちらの国を例に引いていれば更に鮮やかに都市・東京の過密ぶりが示されていたはずだが、実は『ずばり東京』が書かれていた時期にブルネイはまだ英国から独立していなかった。それをあえていま引っ張り出したのは、長い国名の後半の「ダルサラーム」には「永遠に平和な土地」という意味があり、『書経』の「地平らかに天成る」を典拠とする「平成」の元号とどこか通じる印象があったからだ。

筆者がブルネイを訪ねたのは9・11前でイスラームと西洋社会の緊張関係が強くなかったこともあったが、確かにのんびりと平和な国だった。その後に訪ねた人の報告をネットで読んでも様子は変わっていないようだが、その平安は豊かさのおかげだろう。マレーシアより遅れて別に独立した背景にはおそらく石油利権が絡んでおり、多くの油田があるブルネイは今でもオイルマネーが潤沢に流れ込む豊かな国だ。おかげで税金を徴収する必要がなく、それどころか、王さまは一〇億ブルネイドル費やして東南アジア最大の遊園地ジュルドン・パークを一九九四年に作って無料で国民に使わせるなど福利厚生の充実に努めていた（パークは二〇〇〇年から有料化された）。

ただ石油資源に由来する豊かさをいつまで謳歌できるものか。ブルネイを訪ねてタクシーで移動していたときに運転手が近隣の国から出稼ぎで来ている道路工事の労働者を、豊かな自分たちとは別の人種のように見下して話していたのが印象的だった。生活に不安の影が差すようになると、少しずつ育まれてきた差別意識や排外主義が露骨な暴力として噴出する恐れはないかと懸念していたのを思い出す。

その懸念は対岸の火事ではなくなった。バブル崩壊後の平成日本は災害やリーマンショックなどの危機を経るたびに格差化を深めてきた。

たとえば先にスマホ決済が始まると書いた。それは現金の匿名性が失われることを意味する。自分の名刺を入れていた財布の中にあったり、記名入りの給料袋を落とさなければ持ち主が分からなかった現金と違い、スマホの中のおカネは、誰がどこで何を買ったかすべて記録され、ネットを通じて伝えられ、アプリ提供業者のサーバーに蓄積される。この情報はそれを必要とする人にとっては宝物だ。

スマホ決済事業に乗り出した業者は手数料で儲けるだけでなく、多くがそのデータをマーケティング用にパートナー企業に提供するビジネスに乗り出すことを宣言している。というのも購買履歴はその人の生活そのものをかなり正確に輪郭づけるのだから。行動範囲はどのようなものか、どのような嗜好を持っているのか、生活サイクルはどうか……。アンケート調査等では分からなかった生活の細部が窺えるデータは確かに利用価値が高いだろう。

現金を落とすことは減っても、今度は持ち主の生活の記録や情報が、やはり遠心分離機にかけたかのようにネット経由で個人から飛び散ってゆく。その情報を拾い集めてビジネスを目論むのはネット時代の一握りの成功者たちであり、彼らがより豊かになる一方で正直者の庶民は情報や金を奪われる一方だ。

こうして格差化し、分断された状況が打開される兆しは一向に見えない。そんな閉塞感、膠着感も影響しているのだろうか、平成も末期に至って障害者施設で大量殺傷事件が起きたり、ヘイトスピーチの応酬が激化したり、どうもキナ臭い雰囲気が濃くなっている。「平成の最大の落とし物は平和だった」。そんな評価を後世から下されそうな予感を禁じ得ない。

5 光と闇の渋谷史——川の流れのように

（2019年5月24日、28日掲載）

2020年五輪前の東京・渋谷駅とその周囲は、二一世紀を迎えた頃からずっと工事中だ。地上三階の銀座線から地下五階の東横線・副都心線までを地層のように重ねた巨大な駅が新しく整備され、駅と繋がる高層ビルが新たに何本もそびえつつある。渋谷には「若者の街」の形容が冠されることが多いが、若者のなかには工事中の渋谷しか知らない世代も増えている。

再開発の規模の大きさから現在の「日本最大の工事現場」と呼べそうな渋谷は、1964年五輪当時はどのような街だったのだろうか。

渋谷「周辺」にまで話を広げれば、そこは、言うまでもなく64年五輪で最も大きく変貌したエリアである。利用可能な広大な空間がそこにはあった。代々木練兵場等の軍事施設用地跡に造られた米軍住宅地〝ワシントンハイツ〟の土地だ。日米地位協定によって日本人立入禁止の治外法権区とされていた、いわくつきの場所に対して、東京都と日本政府は調布飛行場に隣接する土地との交換を提案して折衝、願い叶って立ち退きがなされた場所に五輪用の競技場や選手村が造られた。五輪開催は、占領の終了後も都心に存在していた広大な米国の〝植民地〟のひとつをとりあえず返還させる口実にもなったのだ。

だが、そこに造られた五輪関連施設は地名からして「代々木」の冠称がつき、距離的にもイメージとしても渋谷からは多少の隔たりがあった。それに対して文字通りの「渋谷」である駅とその周囲はどうだったのか。

■川を地下に埋めてゆく歴史

渋谷の由来を辿れば、その名の通り「谷」だった。淀橋台地は宇田川と穏田川《おんでんがわ》によって東西渋谷台地と淀橋台地の三つに切り分けられ、二本の川は合流して渋谷川となる（上流の穏田川まで含めて渋谷川と呼ぶこともある）。神奈川県伊勢原にある大山阿夫利《おおやまあふり》神社参拝者が利用した「大山街道」は西渋谷台地を渋谷川に向かって道玄坂を下り、川を越えて宮益坂《みやますざか》によって東渋谷台地を上る。大山街道が渋谷川を渡る宮益橋——今ではそこが橋だったことは忘れられている——が渋谷の中心だった。

今回はそんな谷を走る川に注目してみよう。

渋谷の発展は川を地下に埋めてゆく歴史でもあった。宇田川は栄通り（現在の東急文化村通り）に沿って流れて渋谷川に合流するが、一九〇五（明治三八）年に川の水面上に家屋を造ることが特例的に許され、いち早く簡易的に暗渠《あんきょ》化されている。しかし、ただ川の上に家を建てただけなので、水が増えるとあっけなく浸水する。そこで宇田川を途中から分流し、川の水量を受け入れる地下バイパス水路を新たに造った。

それ以外の川が地下化されるのは戦後になってからだ。そこでも他の東京改造工事と同じく五輪開催で弾みがつけられている。六〇年三月に東京都は東京都市計画下水道特別委員会を設置、翌年（六一＝昭和三六年）一〇月に東京都都市計画審議会に答申が提出され、了承される。その、いわゆる「サブロク答申」の中では「東京都内の一部を除いたすべての河川を暗渠化し、下水道幹線とする」と謳われていたし、審議会の議事録には首都高速道路建設でも大鉈《おおなた》を振るった首都整備局長・山田正男が「ふだん水の流れない、降雨時だけ水が流れる川、こういうものは私は市街地の中にあるべきではないと思う」と発言している。

川は都市に不要——そんな断言までなされた時代背景を考慮する必要がある。戦前には東京二三区内でも多くの水田があり、降雨や湧水で足りない分は玉川上水などの水を水田の間を流れる小川＝水路を通じて流していた。しかし宅地化が進んでほとんどの水田が消え、水を流してやる必要はなくなった。それが山田の言う「ふだん水が流れない」「降雨時だけ水が流れる川」だ。そうした川に今度は宅地化による生活排水が流れ込むようになる。もちろんトイレの汚物まで川に流したわけではなく、水洗便所普及前は地下の肥溜めにためて汲み取り車＝バキュームカーで集めに回っていた。こうして排泄物は一応分離されていたとはいえ、残飯なども含む生活排水が流される小川はひどく臭ったはずだ。

そこで、特にオリンピック関係施設の近くの下水道整備が最優先の事業としてリストアップされる。たとえば宇田川上流の支流のひとつ、河骨川《こうほねがわ》は小田急線参宮橋駅の近く、代々木練兵場に沿って緩やかなカーブを描いて流れていた。その風情を「春の小川はさらさらゆくよ」と歌ったのが一九一二年当時に川の近くに住んでいた高野辰之で、その詩は曲をつけられ小学校唱歌として親しまれてきた。

だが、そんな〝春の小川〟は一九六三年に消えている。五輪選手村敷地に沿って拡幅された道の地下に代々木下水道幹線が埋設され、雨水や生活排水を受け入れるようになり、河骨川と宇田川の上流は埋められて元の川筋を彷彿させる緩やかなカーブの道になった（田原光泰『「春の小川」はなぜ消えたか』之潮）。渋谷川のもう一つの源流である穏田川《おんでんがわ》も千駄ヶ谷下水道幹線が造られ、六三年までに全水量を下水道で受け入れたので川自体が消滅している。

■〝春の小川〟の消滅

開高健は『ずばり東京』で渋谷を描いていないが、下水が整備されてゆく過程については触れている。「新聞社のおじさん」に連れられて江東区砂町や足立区小台《おだい》の処理場を見学にいった小学生の健くんが書いた作文という設定の「ぼくの〝黄金〟社会科」がそれに当たる。

東京の下水道は二割ちょっとぐらいしかないそうです。トイレを水洗にしてる家は少ないのです。だからバキューマーでくみとりをしなければいけません。そのくみとったぶんも六割ほどが海へすてられて、科学的にきれいにされるぶんはわずかなのです。だから砂町でも小台でも広いところにプールやタンクや工場がたくさんあってすごく科学的なのでぼくはとてもイカスとおもったのですが、新聞社のおじさんは腹をたてて、こんなことはなんの自慢にもならないといいました。はじめにちゃんと下水をつくってから東京をつくらなければいけないのに、目さきのことに追われたり戦争なんかしたりしてお金をムダ使いしたから、こんなものをつくらなければならなくなったんだといいました。

生きる証の一部と考えたのか、露悪趣味なのか、小説でも排泄をタブーとせずにしばしば書いていた開高らしい内容だが、ここでは「健くん」も下水道普及の必要を訴える新聞社のおじさんの意見に異を唱えていない。日本橋川の汚れて澱んだ水を嘆くことから『ずばり東京』を書き始めた開高は、五輪直前になって遅ればせながら下水を作り、トイレの水洗化を焦り進めてゆく「近代化」については歓迎していたのだろう。

そんな開高は東京のあちこちで〝春の小川〟が消滅していたことに気づいていたか。たとえば河骨川や穏田川も、渋谷から少し遠いのでそこまで足を伸ばすことが果たしてあったかはわからない。目撃していた確率がより高いのは渋谷駅の周囲だが、穏田川が渋谷川に名前を変える宮下公園からの下流に関しては、渋谷下水道幹線が整備された後も川が開渠のまま残された。他の場所では、まるで害虫でも退治するかのように容赦なく暗渠化されていた川のなかで例外的な扱いだが、洪水を何度も発生させていた難所ゆえに水量があまりに増えた時には並行して流れている従来の川にも働いてもらおうと考えたのかもしれない。

■渋谷駅と40年東京五輪

だが、開渠として残されても実は風景の変化にはつながらなかったのだ。その理由を明らかにするために、渋谷の街と渋谷川の歴史を少し遡ってみよう。一九二七年、渋谷駅に五島慶太率いる東京横浜電鉄（のちの東急東横線）が乗り入れている。その七年後に東横線渋谷駅に繋がる地上七階の百貨店（のちの東急百貨店東横店東一号館）が作られた。

その百貨店を五島は渋谷川を跨《また》いで建てさせた。この時点で渋谷川はビルの地下に収まり、その姿は既に見えなくなっていた。

河川上の公空間に百貨店を作れたのは鉄道院出身の五島の政治力のたまものだとも言われる。渋谷はもっと大きく発展する、自分が発展させてやる。だから川を跨いで大きな床面積の百貨店を作る——。五島の自信には実力が伴い、時勢の援護射撃も受けていた。多くの企業を次々に買収したことで「強盗慶太」とニックネームが付けられていた五島は、二子玉川と渋谷を繋いでいた玉川電気鉄道を吸収合併し、その駅ビルだった玉電ビル（のちの東急百貨店東横店西館）も手に入れる。

東京地下鉄道会社によって浅草・新橋間が開通していた地下鉄に魅力を感じた五島は、自らも東京高速鉄道会社を設立。新橋からの路線を一九三八年に渋谷まで全通させている（やがて東京地下鉄道も買収し、当初あった新橋から品川に延伸する計画を変更させ、東京高速鉄道と繋いで浅草から渋谷への直通運転を実現させる。これが後の東京メトロ銀座線となる）。この地下鉄は東渋谷台地から渋谷の谷間に姿を現し、川を跨いで建てられた東横百貨店東館から駅ビル内に入って国鉄（当時）山手線を跨ぎ越えて玉電ビルの三階に新たに造られた駅に至る。地下鉄が高架橋で空中を飛び、白亜のビルに突き刺さってゆく光景は、当時の人に未来の都市を確かに予感させたはずだ。

この大胆な意匠の渋谷駅ビルが造られた時に、一九四〇年開催予定だった東京五輪が意識されていたと推測するのは決して無理な話ではないはずだ。三二年のＩＯＣ（国際オリンピック委員会）ロサンゼルス会議で意向が示された五輪東京招致は三六年に正式決定、三八年には当初予定されていた神宮の国立競技場から軌道修正して、駒沢に主競技会場が建設されることも決まっている。『東京急行電鉄50年史』には渋谷を起点とし、駒沢を経由して成城学園に至る新路線が建設予定として掲載されている。渋谷駅は五輪の玄関口になるはずだったのだ。

結局、40年五輪は中止されるが、その開催の夢が膨らんでいた時世の中で造られた当時最先端の意匠の百貨店によって、開渠のまま残された部分の渋谷川は地下に封じ込められた。64年五輪開催の直前、百貨店の下から姿を現し、渋谷駅東口バス乗り場前を流れる川の開渠部分があらたに蓋で覆われたが、その長さはわずかであり、渋谷の街の景色が変わったと感じさせるほどの強い印象を持たせることはなかった。

渋谷にとって64年五輪での変化は、40年五輪でやり残した部分に手を加える「差分」に過ぎない。それが『ずばり東京』を含めて64年五輪とセットで渋谷の街が語られることが少ない、ひとつの理由だったのではなかったか。

そんな渋谷の街は、むしろ64年五輪後、三度目の五輪に向けて大きく変貌してゆくことになる。

■商業資本の「戦争」と「若者の街」

先に渋谷を「日本最大の工事現場」と表現したが、その用法には先例がある。

東西ドイツの統合が実現した後のベルリンでは、かつて壁があった場所が帯状の空白地帯となっていた。冷戦中は一触即発の危険地帯として監視と警備が終日繰り広げられていた場所は、冷戦が終結してしまうと、ベルリンの中心に突如出現した、自由に開発が可能な白紙のキャンバスとなり、多くのグローバル企業がそこに進出しようとしのぎを削り始める。

筆者が訪ねた時、まさにその建設の真っ只中で、重機が唸りをあげる中、あちこちに張り出されたサインボードに「ヨーロッパ最大の工事現場 **Die größte Baustelle Europas**」のコピーが誇らしげに描かれていた。

最近の渋谷も、赴く間隔が少し開くと、以前はあったはずの建物がすっかり消えてなくなり、周辺を含めたあたり一画が工事のためのフェンスに囲まれている。しばらく経って再訪すると、

工事中の銀座線新駅付近（撮影：筆者）

隆々とした鉄筋を組み上げた建設中のビルを見上げることになり、やがて新しい高層ビルの全貌が明らかになってゆく。駅を降りて工事現場を迂回して造られた仮設の歩行者通路を歩きながら往時のベルリンを思い出していたのは、その建設スケールの大きさが共通するだけでなく、渋谷もまた「冷戦」終了後に生まれ変わろうとしているからだ。

１９６４年五輪後の渋谷を変貌させた立役者は二つの商業資本だった。「伊豆戦争」「箱根山戦争」として語り継がれる熾烈な開発競争を繰り広げた五島慶太率いる東急と堤康次郎の西武との争いは戦後、後継者たちによって渋谷を舞台に再燃した。六七年に東急百貨店本店が開業すると翌年に西武百貨店が渋谷店を開業させる。七三年にはパルコパート１をオープンさせ、パルコパート２（七五年）、パート３（八一年）と公園通りを中心に新規出店を重ねた西武セゾングループに対して、東急は１０９（七九年)、ONE-OH-NINE(八六年)、ONE-OH-NINE 30's(八八年)を造って駅前の東横百貨店と本店までの間を繋いだ。

こうして東急と西武が開発を競い合うことで渋谷は流行発信基地としての魅力を高め、特に若い世代を集客して「若者の街」と呼ばれるようになる。

■『アンダーグラウンド』と渋谷の闇

次々に新しい風俗を生み出す渋谷の街では多くの写真が撮られ、メディアを席巻した。そんな中で筆者にとって最も印象に残ったものが畠山直哉の写真集『アンダーグラウンド』(メディアファクトリー、二〇〇〇年)に収められた作品だった。それは前稿で取り上げた渋谷川の写真だった。

畠山は地上に川が姿を現す稲荷橋の側から川の中を歩いてみる。外から差し込む光が届く範囲では眼が利き、川底に張り付いたゴミやトンネルの中を飛ぶコウモリが見えていた。だが、やがて一切の光が届かなくなる。写真集に添えられた文章から引いてみよう。


真っ暗な空洞にぼんやりと立ち、辺りを見回してみるが、視野のすべて、光の刺激は完全にゼロで、眼を開けているのに、つぶっているようような。

それでも僕の眼球は空しい運動を止めず、何かを見ようとしている。

足元の水も僕の両手両足も、こうもすべてが真っ黒で見えないと、それが在るのかどうかさえ分からなくなる。いまかろうじて僕が「在る」と信じることができるものは、こうしてものを想う僕自身の「意識」のみということになるのだろう。

そこで畠山はストロボを灯して川の内部を写した。淀んで汚れた水、流れてきたゴミ、ネズミの死骸……。一瞬の光がそれらを照らし出し、また闇の中に深く沈んでゆく。写真を見ていると、湿った腐敗臭を嗅いだような錯覚を覚える。

畠山はその写真集に「Cimmerian Darkness and Stygian Gloom」という副題を付けた。

畠山直哉『アンダーグラウンド』(メディアファクトリー、2000年)

Cimmerian はギリシャ神話に出てくる夜が永遠に続く国、Stygian は現世と冥府を分ける三途の川だ。いずれも形容詞となって闇のとてつもない深さを強調している。

東京のまん中を流れる、このコンクリートで固められた川に降り立つと、そこに人間の気配は何もない。地上からわずか5メートル降りただけだというのに、僕は何光年も離れた別の場所にいるような気がする。

畠山が写真を撮影したのは九〇年代、「若者の街」という形容が定着し、渋谷が最も喧騒に溢れていた時期だ。

都市風俗をよく取材していた時期だったゆえに筆者もしばしば訪ねた。駅を出て、一日に少なくとも二〇万人が横断するという(田村圭介『迷い迷って渋谷駅』光文社)駅前のスクランブル交差点を渡る段階で既に人に酔うような気分になっていた。書くネタに困ったときは、センター街が見下ろせるマクドナルドの角の席に座ってぼんやりと人波を観察していた。

しかし、最新の流行が覇を競う、そんな「地上」から五メートル下に潜れば底知れぬ深さの闇がある。闇の深さを示すことで畠山は光の眩しさを際立たせた。当時の渋谷らしさを最も鮮烈に感じさせてくれた写真は、筆者が知る限り、渋谷の街を写さない畠山の作品だった。

■「競争」から「協働」へ

そんな渋谷は二一世紀に入って新しいステージに入った。東京急行電鉄本社を訪ねて現在進行中の再開発について尋ねる。「きっかけになったのは二〇〇二年に新しく作られた副都心線と東横線の相互乗り入れが決まったことですね」。同社渋谷開発事業部開発推進グループ統括部長の三木尚氏が言う。

副都心線は既に西武池袋線、東武東上線と相互乗り入れをしており、渋谷で東横線と相互乗り入れをすれば、副都心線を介して西武の車両が東急の路線を、東急の車両が西武の路線を走ることになる。ライバルとして競い合ってきたイメージが強い西武——正確に言えば堤義明が引き継いだ鉄道事業と堤清二が差配をふるった流通部分を分けて考える必要があるが——と東急の乗り入れ実現の際に「一世紀越しの握手」と見出しを打った記事もあった（『日経新聞』二〇一三年三月一五日付）。

そして東急が握手した相手は西武だけではない。東横線は都心から横浜までの到達時間をＪＲと競ってきた。特に埼京線を経由するＪＲの湘南ライン登場後、その競争はシビアになっていた。しかし東横線渋谷駅が副都心線との接続のために地下に移動すれば地上駅のスペースが空く。その一部は今まで駅南側に離れた位置にあったＪＲ埼京線ホームの移設に使われることになる。それは分秒を競っていた頃にはありえないことだった。

「沿線住民の利便性をいかに高めるか。それを重視したのだと思います」と三木氏が説明する。確かに渋谷の街が更に発展すれば、それも東急沿線住人の利益となる。街の発展を促すアクターにはＪＲ利用者も含まれるのであり、そこでも「競争」ではなく「協働」の関係が成立する。

競争には切磋琢磨を促す面がある。かつて東急と西武のライバル関係が渋谷を急激に発展させたように。しかし勝利を焦るあまり判断を誤ることもある。「渋谷戦争」の時期に造られたファッションビルの幾つかは激安量販店やパチンコ店に変わり、華やかなファッションの街を虫喰い、色褪せさせ始めているように感じさせる。

個々のアクターが利益を競い求める結果、むしろ全体の利益を最大化できなくなることはゲーム理論のいわゆる「囚人のジレンマ」が示している。だからこそ、メリットをより大きくするために必要であれば「競争」よりも「協働」を選ぶ。副都心線と東横線の相互乗り入れは、そうした変化を象徴する出来事だったのだろう。

「これは渋谷の一〇〇年に一度のチャンスだということで行政が委員会を設置して議論していました。そこに我々も参加して行政や学識経験者のリードの下、一緒に進めてきました」（三木氏）。そして既に廃止が決定していた東急文化会館跡に造る施設（後に渋谷ヒカリエと命名される）が、東横線渋谷新駅との接続を前提に設計されることになる。

新駅の設計者として白羽の矢が立ったのは安藤忠雄だった。安藤は地底に埋まった宇宙船「地宙船」をコンセプトとして、全長八〇メートル、幅最大二四メートルの巨大なラグビーボールの中にあるかのような形の駅を設計した。ガラス繊維強化セメントという特殊な素材で壁面を造り、その内部に空洞を設けて、電車の熱で温まった構内の空気を逃がすなど、空気の循環を利用して省エネルギーで快適な構内環境を維持する工夫を凝らした。

■「ビットバレー」の再興？

渋谷駅周辺は、二〇〇五年一二月に小泉政権が用意した規制緩和政策のひとつである都市再生緊急整備地域に指定され、官民協働の再開発に拍車がかかった。東横線地上駅のホーム、線路跡地とその周辺敷地には、渋谷川の開渠沿いであることから「渋谷ストリーム」と命名された大規模複合施設が造られた。別棟にホール、タワー棟の下層階に商業ゾーン、中層階にホテル、そして一四階から上はオフィスとなり、グーグル合同会社の本社機能が入る。

グーグル合同会社は二〇〇一年に東急の高層ビル「セルリアンタワー」に日本最初の拠点を持ったが、一〇年後に六本木ヒルズに移っていた。渋谷では二〇〇〇年前後にＩＴバブルの勢いに乗ってグーグルだけでなく多くのＩＴ企業が居を構え、本家シリコンバレーをもじって渋谷を「ビットバレー」とお調子よく読み替える習慣もできたが、ＩＴバブルの崩壊などもあって多くが渋谷の地を離れていた。それから約二〇年後のグーグル合同会社の本社機能の渋谷回帰にビットバレー再興の声も聞かれる。

「渋谷で起業した企業も大きくなると出ていってしまう。事務所スペースに使える広い床面積のオフィスビルが少ないのがひとつの原因だったと思います。沿線に住む人が通いやすい渋谷にもオフィス空間が必要」と三木氏が説明する。

渋谷ストリームは二〇一八年九月に開業済み。取材時点では東急百貨店東横店東館・中央館跡に「渋谷スクランブルスクエア第Ｉ期（東棟）」を造る工事が進行中だった。これまた仮普請中の駅前のバス乗り場に立つと、渋谷ヒカリエ側に移される予定の銀座線の新ホームのためにいち早く造られた大屋根の先に、少しずつ空に向かって背を伸ばしつつあるビルが見上げられた。東急百貨店東横店南館のビルの中に高架の地下鉄が突き刺さってゆく、かつての渋谷を象徴していた光景は見られなくなるが、地上四七階の最上階の屋上展望空間からはダイナミックに変わった新しい渋谷の風景を見渡せるようになる。

二〇一九年一一月開業の、この新しいビルも足元に渋谷川を跨ぐ。ただし、その流路は新しく造られる東口地下広場と重なってしまうので少しだけ東側に移された。

■渋谷を満たす光で見失うもの

この地下の新しい流路を経て渋谷ストリームの前で地上に姿を現す渋谷川は、官民連携によりその上に広場が造られたり、川沿いの遊歩道が整備されて、出水時にゴミを漂わせた汚水混じりの水が流れるだけだった、かつての無残な姿とは全く異なる景色を見せる。下水を集めて浄化する落合水再生センターで高度処理された清流復活水を活用し、川岸の両側に設けられた「壁泉」と呼ばれる水景施設より水を流すことで流れも甦った。落合水再生センターは「東京に川は不要」と結論づけていた〝サブロク答申〟以後の下水道整備の一環として六四年に造られた落合処理場を前身とする。開高健が『ずばり東京』の中の一章「ぼくの〝黄金〟社会科」で扱っていた下水処理場の役割も変わり、都市と水の関係も変わった。開高が書いていた頃の、汚物の臭い漂う水の方が人間らしいという意味で人に「近しく」「親しい」はずだが、親水公園《しんすい》云々の表現で使われる親しさはそれとは意味合いが違う。不快感なしに関われることを「親しさ」と呼び替え

渋谷川をのぞむ（撮影：筆者）

る習慣がいつしか出来ている。

渋谷における「冷戦」解消とは競合や対立から協働への変化を示す比喩だった。この協働が総動員のバリエイションであることは言うまでもない。それは企業の総動員体制にとどまらない。都市文化の中の異なる要素の統合を伴うものだ。たとえば光と闇の対立もそこでは解消されている。按配よろしく調整された再生水を優しく流す今の渋谷川は地下広場の脇に寄せて造られたコンクリート・ダクトの中に行儀よく収まり、『アンダーグラウンド』で畠山が写真に封じ込めた、街の澱《おり》を集めたような臭いを周囲に放つこともない。そこに、地下の冥府に繋がるかのような禍々《まがまが》しい闇の力を感じることはもはやできない。

しかし、光が眩しければ、実はそれだけ闇も深まっているはずなのだ。表層レベルの統合やら協働やら動員やらの見栄えに目を奪われているだけでは見失うものもある。たとえば国境の壁を消失させた東西ドイツ統合は、時を経て分断のない社会よりも移民を敵視し、排斥しようとする排他的な社会を導きつつある。闇を手放そうとした都市もまた、再びどこかにもっと深い深い闇を宿すこともあるかもしれない。

6　二つの五輪と二つの新幹線

（2019年7月1日、10日掲載）

茅ヶ崎にある開高健記念館を訪ねた時、少し足を延ばしてみた。

JR茅ヶ崎駅から東海道線（新幹線ではない在来線の方）に乗れば約三〇分で鴨宮《かものみや》駅に着く。駅前には今の新幹線車両のように鼻先がやたら長くなる前の、アンパンマンにどこか似ている愛らしい新幹線0系車両をさらに丸っこくデフォルメしたオブジェをあしらった記念碑が置かれている。

それは、そこが日本で最初に新幹線が走った場所であることを示している。

鴨宮駅からさらに東海道線で小田原方面に向かうと、山の方から新幹線が接近してきて酒匂《さかわ》橋で平行に並ぶが、橋を渡る手前の細長い三角地帯の場所には、かつて新幹線の開業に向けて各種の実験をしていた車両の基地が造られていたのだ。

そこから東側に延びる約一〇kmの実験線——鴨宮モデル線区と呼ばれていた——で六二年から走行実験が開始される。最終的に実験線は神奈川県綾瀬市まで総延長三二kmに達した。

二〇二〇年の東京五輪までカウントダウンが始まっている今も、山梨の実験線ではリニア新幹線が走っている。五輪と新幹線のペアがふたつ、半世紀余の時間を跨いで成立している。そこで温故知新の思いから、かつての新幹線の実験線があった場所を訪ねてみた。

この鴨宮モデル線区に営業運転に先行した試験車両が走っていた時期は、64年五輪に向けて日本全国が期待を膨らませていた時期と重なる。東海道新幹線を東京オリンピックに間に合わせるように完成させなければならない、多くの人がそう考えていたはずだ。

しかし、この実験線に至るまでの前史が、実は新幹線にはある。

■狭軌か標準軌か、明治の鉄道論争

遠慮なしに時計の針を逆回しすれば新幹線のルーツは明治時代の〝改主建従論〟にまで遡れる。日本の官有鉄道は軌間（レールとレールの間の幅）が一〇六七㎜だ。これは他の国でも採用例があるが、標準的な軌間一四三五㎜よりも狭いので狭軌と呼ばれる。狭軌を採用する理由は車両からトンネルなどまで全てが小さくて済むので建設費が安いからだ。明治政府は早く鉄道を敷くことを優先し、狭軌を選んだ。

しかし狭軌には高速化に不適だという欠点がある。確かに「気をつけ」の号令で行儀正しくつま先を揃えて立つ姿勢は、実は不安定で、肩をこつんと押されるだけでよろけてしまう。少し行儀悪くてもつま先の間を広げて立ったほうが安定するのと同じで、幅の広いレールの上を走ったほうが鉄道車両は走行安定性が高まる。

そこで日本の鉄道網の弱点を克服するために、敷設建設をいったん減速させても標準軌への改軌を実施すべきだという声が出る。これが〝改主建従論〟だ。最初に旗振り役になったのが、一九〇八年に第二次桂太郎内閣で鉄道院総裁になった後藤新平だった。

しかし内閣総辞職と共に後藤も鉄道院総裁を辞任し、続いて成立した第二次西園寺公望内閣は標準軌への改軌政策を財源の目処《めど》が立たないとして葬り去ってしまう。地元選挙区の期待を背負って改軌よりも鉄道建設を優先すべきだという〝建主改従論〟を唱える政治家は多かった。

以後、何度も改軌案は、提案されては否決され、を繰り返し、一九一九年に原敬内閣で「我ガ鉄道ハ狭軌ニテ可ナリ」の院議が可決されたことで、改主建従論に正式に終止符が打たれた。

この時、鉄道院鉄道作業局工作課長の島安次郎が院議への捺印を拒否して辞職するなど、多くの改主建従論者が鉄道院を去った。彼らの受け皿になったのが南満州鉄道、つまり満鉄だった。日露戦争で手に入れた満鉄は初めから標準軌であり、改軌の必要はない。そんな満鉄を舞台に鉄道技術者たちが存分に腕をふるって作り上げたのが特急あじあ号である。あじあ号は満州事変で建国された満州国の首都新京と大連までの七〇一㎞を最高速度一三〇㎞／ｈで疾駆し、八時間三〇分で結んだ。

とはいえ満州事変によって拡大した中国との戦線は、日本国内の鉄道にも軍事輸送力の増強を求めるようになった。

その結果、一度は葬られた改軌論が別線建設論として再び着火される。東海道、山陽道から対馬海峡をトンネルで横断し、朝鮮半島から中国に至る高速専用鉄道を在来線とは別に建設する案が出され、島安次郎など改軌論者がその計画策定に参加した。

■「狂気の沙汰」の新幹線構想

　この〝弾丸列車計画〟は結局、戦局悪化で日の目をみなかったが、戦後になって蘇る。一九五五年、日本国有鉄道（国鉄）の第四代総裁に十河《そごう》信二が就任。満鉄出身で標準軌の強みを身に染みて知っている十河は、就任直後に標準軌による新幹線建設の調査を命じ、島安二郎の息子の秀雄を技師長に迎えた。「親父さんの弔い合戦をやらないか？」がくどき文句だったという（近藤正高『新幹線と日本の半世紀』交通新聞社新書）。

　一九五七年五月三〇日に鉄道技術研究所が設立五〇周年記念講演会を催し、「超特急列車、東京〜大阪間三時間への可能性」と題して新幹線構想を披露。七月には国鉄本社内に東海道新幹線

奉天駅を発車する満鉄の特急あじあ号［1935年ごろ］　提供：朝日新聞社

に関する「幹線調査室」が設置される。

しかし――。これは今では想像しにくい話だが、当時、新幹線計画は極めて不人気だった。鉄道ファンだった作家の阿川弘之は、新幹線計画は戦艦大和が蘇った大艦巨砲主義の亡霊であり、そんなものを造れば「万里の長城」「ピラミッド」と並ぶ世界三大バカになると新聞に寄稿した。国鉄内でも幹線調査室は〝空想村〟と呼ばれていたという。

後にJR東海の社長・会長・名誉会長になる葛西敬之は六三年に国鉄に入社して初任研修で受けた講義で当時の建設局長が「東海道新幹線は狂気の沙汰」だと言った言葉が強く印象に残っているという。

入社間もない私にもやがてわかってきたのは、国鉄が一枚岩になって東海道新幹線を推進しているのではなく、事務系キャリアのほとんど全員、技術系も島技師長直系の車両技師を除けば反対派が圧倒的多数、という意外な事実であった。（葛西敬之『飛躍への挑戦』WAC）

■五輪という大義と新幹線

しかし世間の風向きはやがて変わる。

東海道新幹線は、一九五八年に建設計画が承認され、五九年四月二〇日に新丹那トンネルの東口（熱海側）で起工式を挙行した。これはオリンピックの東京開催が決まるのよりも一カ月早いタイミングであり、新幹線計画が五輪とは全く無関係に進んでいたことの証拠となる。

だが、最も難工事が予想されていた新丹那トンネルは建設に四年かかると見込まれており、そうすると六四年の五輪開催と新幹線開通の時期がほぼ一致する。

建設費捻出に苦しんでいた十河はその偶然の一致に便乗するかのように、オリンピックに新幹線開通を間に合わせなければならないと言い始める。安保改定と刺し違えて辞任した岸信介の後を継いで総理大臣となった池田勇人もそこに飛びついた。国民所得倍増計画をぶち上げた池田だったが、六二年には国際収支が赤字になった結果、早くもGNP（国民総生産）は落ち込んでいた。そこで池田は東京オリンピックに目をつけ、それを名目に公共投資を増やして経済成長率の再上昇を狙った。その目玉が東海道新幹線建設だった。

そんな十河と池田の思惑を受けて存分に働いてくれたのが鴨宮─綾瀬間の実験線だったのだ。鴨宮車両基地には仮ホームが設けられ、ライシャワー駐日米国大使から、抽選に当たった一般応募者まで、のべ一〇万を超える人が開通前の「夢の超特急」に先行試乗したという。

六三年三月三〇日の速度向上試験では二五六km／hを記録。こうして夢の超特急の話題が次々に伝えられる。

それは、ちょうど開高が『ずばり東京』を書いていた時期にも当たっている。このころ開高は東京住まいで、今は記念館になっている茅ヶ崎の家をまだ持つに至っていなかった。つまり東海道線沿線の住民ではなかったが、彼の耳にも夢のモデル線区を疾駆する〝夢の超特急〟の活躍ぶ

国鉄（当時）東京駅付近の東海道新幹線工事現場を視察する十河信二国鉄総裁［1962年7月］　提供：朝日新聞社

りは刻々と届いていたはずだ。新幹線について『ずばり東京』の中で取り上げていないのは、それが東京ローカルではなく、〝全国区型〟の話題だと考えたからではなかったか。

確かに五輪成功の鍵を新幹線が握るというロジックは見事に受け入れられた。五〇年制定の国土総合開発法、そして池田政権の肝いり政策である「所得倍増論」が日本の〝選ばれた〟特定地域、特に太平洋ベルト地帯の重点開発政策であったことに、〝選ばれなかった〟他の地域が反発する動きがあり、政府は六二年制定の全国総合開発計画では「国土の均衡ある発展」を謳わざるを得なくなっていた。

だが、東海道新幹線に特化した極めて〝不均衡な〟公共投資は、五輪実現のためという大義とセットで支持された。経済浮揚効果は確実に実を結び、六三年に実質経済成長率は一〇・五％まで回復、五輪開催年の六四年には一三・一％の高率を達成したのだ。

新幹線は六四年一〇月一日に無事開業。五輪開催の九日前だった。そして営業初年度から黒字を達成する。五輪が終わっても新幹線は残り、太平洋ベルト地帯の発展へ大きく寄与したことは言うまでもない。

こうした東海道新幹線の成功は、「我が地元に鉄道を」と望んだかつての建主改従論をリニューアルして「我が地元に新幹線を」に変えた。

田中は「全国で新幹線をやろうじゃないか」と切り出し、テーブルの上に鉄道地図を広げさせた。そして赤エンピツを手にすると、地図に次々と線を引っぱっていった。

東京から新潟へ。まっ先に、赤い線が走った。次は、東北を抜けて札幌まで一本。北陸へ、四国へ、赤エンピツは、地図の上を駆けた。

『朝日新聞』一九八二年一〇月二八日付記事「幹事長室で何があったのか」の記述だ。自民党幹事長の田中角栄と国鉄副総裁・磯崎叡（いずれも当時）は幹事長室の中で何を話したか。密室での会談をどのように取材したのかは不明だが、田中のダミ声が脳裏に響き、忙《せわ》しない身振りまでが眼に浮かんできそうな臨場感あふれるトーンで「六九年のある日のこと」だとされる幹事長室内の様子が再現されている。

■〝夢の超特急〟と鉄道の限界

実は東京駅で開催された新幹線の出発式に最大の功労者である十河の姿はなかった。十河は六三年三月に新幹線工事の補正予算二九二六億円が承認された直後にさらに八七四億円の不足が明らかになった責任を取って同年五月に総裁の座を去っていた（近藤、前掲書）。この不足分を補塡したのが池田内閣の蔵相だった田中だった。六二年時点では「国土の均衡ある発展」を妨げるとして新幹線建設に予算を集中させ、地方のローカル線建設を後回しにしている十河国鉄の方針を鉄道建設審議会小委員長として厳しく批判していた田中だったが、その翌年には鮮やかな変身を遂げていた。この時、田中は地元新潟への新幹線建設を予算再補正の条件として約束させていたとも言われる。

総延長七二〇〇キロにおよぶ新幹線網計画を盛り込んだ「新全国総合開発計画」が閣議決定されたのは六九年五月なので、「ある日」はその直前の時期だったのだろう。そして七〇年五月には全国新幹線鉄道整備法が成立する。

しかし当の国鉄は、この時、既に新幹線の先を見ていた。

実は鴨宮の実験線で〝夢の超特急〟が走り始めた時期に、鉄道技術者たちは鉄道の限界を思い知ることにもなった。速度を上げるほどパンタグラフや架線の痛みが激しくなるし、そもそも走行時の空気抵抗が鉄レールと鉄輪との摩擦力を上回り、それ以上、速く走れなくなる。当時は三五〇km／hあたりが鉄道の限界だろうと考えられていた。

そこでレールと車輪の摩擦に頼らずに磁石の極性を次々に交代させせて反発力と吸引力を発生させて車両を駆動させるリニアモーターによる駆動方法が期待された。いわゆる新幹線整備法が制定された七〇年、国鉄は高速鉄道講演会で「超電導磁気浮上列車」の研究開発に着手することを発表している。それは鉄輪の力で鉄軌道上を走るのではない鉄道を目指すという意味で、新しい改軌論の表明ともいえるものだった。

■デートに遅刻した研究者が生みの親

五月のある日、筆者は郊外の新しい造成地をとぼとぼと歩いていた。日差しは既に初夏を思わせた。道路はまっすぐにとある高校の校舎に向かっており、遠い校門前に三人の女子高生の姿が見えた。

彼女たちは、なぜかこっちを見て微笑んでいるようだ。自意識過剰による人違いではない。その時、歩いているのは前後左右に筆者たったひとりだったのだ。

距離を詰めてゆくと彼女たちの意図がわかった。校門の中に学園祭の模擬店のような売り場スペースが用意されており、彼女たちは歩行者をそこに招こうとしているのだ。ならば、ひやかしてゆこうとテーブルに置かれた売り物を見てみるとパッケージに入れられた味噌だった。

「自分たちで作ったの?」。尋ねると若い笑顔が弾けた。

「そうですよ。買ってください！」

神奈川県立相原高校は一九二三（大正一二）年に県立農蚕学校として開校された由緒ある学校で、現在は畜産科学科、食品科学科、環境緑地科、総合ビジネス科の四学科がある。自製した味噌を近隣住民に売っていても不思議ではない。

せっかくだからとひとつ買ったら大いに感謝されたが、彼女たちなりに多少の屈折した思いもあったのではないかと推測する。

もし去年までだったら――。二〇一九年三月まで相原高校は京王相模原線とJR横浜線・相模線の橋本駅前にあり、四月に今の場所に移転したばかりだった。創立後、交通の要衝として大きく発展した市街地の中心部で畜産や農業の実習を行うことには無理も生じ始めていたのだろう。だが、移転は教育上の理由だけではなかった。

二〇一三年、品川を出たリニア中央新幹線が最初に通過／停車することになる駅の場所を、神奈川県、相模原市が誘致していた橋本駅前の相原高校の地下に決定したことをJR東海が公表する。これを受けて相模原市は二〇一六年に広域交流拠点計画を策定。橋本駅前周辺の再開発を進めることになった。

筆者が高校の跡地を訪ねたときには、旧校舎は残っていたがもちろん敷地の中の人気は絶えており、校門の銘板も既に外されていた。

訪問者のために新校舎の場所が掲示されていたので、バスに約一五分揺られて訪ねてみた移転先のキャンパスは広く、生徒たちは存分に羽を伸ばしているようだった。だが、去年までのキャンパスだったら、周囲に駅前ゆえの賑わいもあり、校門で物販をしたら近隣の客がひっきりなしに訪れていたのに、との思いも、売り子を勤めていた女子高校生には正直あっただろう。一人で初夏の日差しの中をトボトボ歩いてきた変人しか客がいない不幸を恨んでいたかもしれない。

乙女心にそんな思いをさせることになるリニアモーターカーの研究が始まったのは、実はかなり古く、六二年に鴨宮・綾瀬のモデル線区で東海道新幹線の営業に向けた実験が始まった時期だったことは既に書いた。

六六年には米国のブルックヘブン国立研究所で、駆動するだけでなく、車両を浮かせることにも磁力を使う方法が提案される。交通渋滞に巻き込まれてデートに遅れてしまった研究者が思いついたという（村上雅人ほか『超電導リニアの謎を解く』C&R研究所）。

七〇年に高速鉄道講演会で超電導磁気浮上列車の開発に着手することを国鉄が発表し、日本に鉄道が引かれてちょうど一〇〇年目となる七二年には、東京・国分寺市の鉄道総合技術研究所構内にリニア駆動用のコイルを仕込んだ長さ四八〇ｍの軌道上を、極低温に冷却して電気抵抗をなくし、強力な磁力を発生させる超電導磁石を積んだ車両が走った。四人乗りの小型試験車両ＭＬ１００は漫画に出てくる空飛ぶ自動車のようで、いかにも未来的だったが、試験所内でせいぜい六〇㎞／ｈで浮上走行をしているだけで、現実となる日はまだまだ遠いと考えられていた。

七七年には宮崎県日向市に延長七㎞の宮崎リニア実験線の建設が完成、七九年に試験車両ＭＬ

500が五一七km/hの世界最高速度を記録している。とはいえML500は軌道を跨ぐ構造だったので車内スペースがなく、人が乗ることはできなかった。

■JR東海が牽引したリニア新幹線

こうして着実に成果は出していたが、どこか〝未来の鉄道ごっこ〟的な雰囲気だったリニア計画が、にわかに現実味を帯びたのは、八七年に国鉄民営化が実施されてからだ。葛西敬之・JR東海現名誉会長が自著でこう書いている。

国鉄分割民営化の枠組みでは超電導リニアの研究開発は鉄道総研が引き継ぐことになっていたが、鉄道総研の予算はJR各社の拠出によっており、研究テーマの予算配分には各社の同意を得る必要があった。一方、この技術を実用化する路線は中央新幹線だけであり、それは東海道新幹線のバイパスであった。

鉄道総研は国鉄の開発したリニア技術を引き継いでいるが、超電導リニアを統合された輸送システムとして完成させるためにはどうしても高速鉄道の運用経験が不可欠であり、それもJR東海にしかなかった。そのためJR東海が独自に資金を出して技術開発を進めることに異論を唱えようがないはずであった。この点に着目し、「リニア対策本部」を設置することにしたのである。

(『飛躍への挑戦』WAC)

他のJR会社にはまた別の言い分がありそうな気もするが、とにかくJR東海はリニア対策本部の設置に先手を打ち、鉄道総合技術研究所および日本鉄道建設公団と三者共同のプロジェクトチームを結成してリニア新幹線の実現を目指すことになる。

その際の切り札が自己負担原則だった。一〇〇〇億円をリニア新幹線実験線のために拠出することをいち早く決め、JR各社や政治家、省庁が〝金も出すが、口も出す〟のを防いで、調整で時間を浪費することなく八九年の実験線建設決定にこぎ着けている。

この実験線は九七年に延長一八・四km（後に四二・八kmに延長）で完成し、試験走行を始めている。二〇〇七年には中央新幹線の東京・名古屋間を自己負担で建設することを取締役会で決定。二〇一〇年に交通政策審議会にリニア新幹線建設について諮問し、翌年にはJR東海がリニア中央新幹線の営業主体、建築主体の指名を受けている。同年に東京・名古屋間の整備計画が決定され、二〇一四年には工事実施計画が認可された。

■駅やトンネルの工事は始まったが……

その後の進捗状況を東海道新幹線品川駅の上に建てられたJR東海品川ビルの広報室で話を聴いてみた。それによれば駅に関しては品川駅と名古屋駅で工事が先行して進んでいる。これについては「今の新幹線駅の地下を使います。難易度が高く工期の長い品川駅と名古屋駅の工事を精力的に進めている」そうだ。山岳部でも同じく難工事が予想される南アルプスで本線トンネルの工事が始まっている。

都市部では路線部分のトンネル自体はまだ掘り進められていないが、東京、名古屋の起終点近くの市街地区間で工事契約が早めに進んでいるという。それは、地下四〇m以上（かつ建物がある場合はその支持基盤よりも一〇m以上深い）の道路や水道、鉄道といった公共性の高い事業に適用される「大深度地下の公共的使用に関する特別措置法」によって地権者との交渉が不要だからということが大きい。この区間ではシールド工法でトンネルを建設する際の工事拠点となる立坑作りが始まっており、開業後は保守用出入口として、あるいはトンネルの換気設備として、また大深度地下空間から避難するための非常用の出口としての機能も兼ねる非常口が立坑を利用して作られることになる。

多摩川を橋で渡るのではなく地下をトンネルでくぐって品川からわずか一〇分で到着する神奈川県駅（仮称）も地下三階構造になる予定だ。その地上部分、つまり移転した相原高校跡地ではいち早く工事が始まっているが、そこにリニア駅予定地の看板はない。

駅の周辺を歩いてみても、リニア中央新幹線が地元の話題となっている印象は受けなかった。それもそのはずで品川・名古屋間の完成予定は二〇二七年。まだまだ先という印象なのだろう。先に開催される五輪や万博に視界を遮られてしまっている事情もありそうだ。一時は前倒ししてリニアを２０２０年五輪開催と同時開通させるという噂も聞こえたが、すぐに立ち消えた。自己

リニア中央新幹線「L0系」［山梨県都留市小形山の実験センター］ **提供：朝日新聞社**

負担による建設という方針は、〝船頭多くして〟なんとやらにならない代わりに、政治によって加速されることもない。

そのために、かつて鴨宮―綾瀬間の東海道新幹線モデル線がすぐにも実現する〝夢の超特急〟への期待を確かに育んだようには山梨リニア実験線は機能していない印象だ。鴨宮モデル線区と同じく、これまでにのべ約一〇万人が体験乗車したとのことではあるが、それでも国民の多くにとってリニア中央新幹線はまだ実験段階という認識であり、たとえば中央高速道を使って河口湖方面に向かうドライバーは大月ジャンクションの先で実験線の橋梁の下をくぐるが、「リニアあったな」と一瞬思い出すものの、厳しい表現をすれば、そのイメージは十数分後に車窓に現れる富士急ハイランドのジェットコースターと同じようなものに留まるのだろう。

つまりリニア中央新幹線は品川から名古屋をつな

ぐ鉄道「線」としてまだ意識されておらず、「決まったコース内を猛スピードで走っているだけのもの」なのだ。

■二〇二七年になっても「会うのが、いちばん」か？

こうして新しい鉄道としての具体的なイメージを膨らませられずに、世間一般的には盛り上がりを欠く中で、キャンパス移転を経験した相原高校生たちは実は日本で最もリニア中央新幹線を身近に感じているのかもしれない。

たとえば校門脇で手作り味噌を売っていた女子高生たちは二〇二七年には二〇代の半ばになっている。そんな暗算をして思い出したのが、民営化直後の一九八七年からＪＲ東海が流していた「エクスプレス」シリーズと呼ばれるテレビＣＭだった。特に有名なのは社会人になって勤務先の関係で住所が関西と関東に分かれてしまった若いカップルが、週末を一緒に過ごして新幹線の終列車で帰る、そんな姿をドラマ風に再現してみせた「シンデレラ・エクスプレス」だろう。松任谷由実の音楽も印象的だった。

このＣＭシリーズについて当時、ＪＲ東海の広報課にいた坂田一広が書いた文章が残っている。

　このこと（鉄道の役割について考えていて――引用者註）をＪＲ東海になってからもう一度考えたとき、出てきた答は、鉄道は人と人との出会いのお手伝いをしているんだ、つまりコミュニケーションの一つのツールなんだということでした。人間同士がコミュニケーションするとき、手紙やファックスといったような、いろんなツールがあります。しかしその中で一番強力なコミュニケーションは、やはり会って直接話をすることだろう、そのお手伝いをしている鉄道は、一番エライんじゃないかと考えるに至ったわけです。

……こんなふうに鉄道の役割を再認識して行く中で、「会うのが、いちばん。」というキャッチフレーズが自然発生的に出てきました。第三作目の「プレイバック・エクスプレス」から、このキャッチフレーズを使っています。このときのナレーションは「百万回電話で〝愛してる〟と言うよりも、百万回便箋に〝元気だよ〟と書くよりも、君の目を見て〝久しぶり〟とひとこと言ったほうが、僕の気持ちが伝わる」というものだったんですが、これは郵政省とNTTに対する挑戦でもあって、手紙や電話よりも鉄道のほうが強いんだぜ、ということを、高らかに宣言したわけです。

（「走れエクスプレス　JR東海のイメージ戦略」広告批評編『広告大入門』マドラ出版）

確かに交通機関の高速化は直接〝会う〟ことの可能性を広げる。リニア中央新幹線も例外ではない。JR東海は二〇一〇年に東京圏—名古屋圏間でリニアを使った場合の利用料金等の試算を、新幹線より七〇〇円高い料金設定で実施しているが、本当にその試算通りになれば、若い新社会人にも負担できない額ではない。

しかし、二〇二七年に、シンデレラ・エクスプレスのコマーシャルに出ていた新社会人カップルと同じような年齢になった元高校生たちは、母校移転に浅からぬ因縁のあったリニア中央新幹線が東京と名古屋を最速四〇分で繋いでくれたおかげで恋人や知人と会えたとしても、やはり「会うのが、いちばん」だと思うのだろうか。

それは、その時に「会う」ことが社会の中でどの程度の重みを持っているか次第だろう。これまで東海道新幹線の輸送人員は伸び続けてきた。シンデレラ・エクスプレスの時にも意識されていた高度情報化は、その後、さらに進捗したものの、それでも「会うのが、いちばん」が維持されてきた。

だが、そこで突然、モードチェンジが起きる可能性はないだろうか。

今の高校生は、教室で隣に座る親友との間でもソーシャルメディア経由のコミュニケーションを選ぶことがある。彼らにとっては、もはや「会う」ことが標準で、「会わない」ことは直接性に欠ける代替手段なのではない。「会わない」がゆえに得られる距離感を好み、「会う」ことができてなお「会わない」コミュニケーションを時にはあえて選ぶ感性が育ちつつある。デオドラントやメイクに気を使ったり、風邪をひいたわけでもないのにマスクを常用したりするのは、接触しかねない距離で面と向かって「会う」からで、そこまで直接的に向き合って「会わない」で済むなら、面倒な身繕いは不要になるか、そうでないとしても重要度は減るだろう。できる時には体温や体臭の伝わならない隔たりを間に挟んで人と関わり合いたいというのが彼らの本音なのだ。

二〇二七年にはそんな世代が大人になる。その意味でリニア中央新幹線の本当のライバルは今度こそ自動車や飛行機ではなくなる。情報環境の進化に伴うリアリティ感覚の変容こそが、リニア中央新幹線の成否の鍵を握るライバルになるのではないか。

7 五輪はなぜか感染症と縁がある

（2019年10月9日、16日掲載）

二〇一九年五月末、各メディアで配信されたニュースに驚いた人も少なくなかったはずだ。

厚生労働省は、エボラ出血熱などの危険性が高い感染症の病原体を、今夏にも海外から輸入する方針を決めた。東京五輪・パラリンピックを来年に控え、検査体制を強化するのが狙い。東京都武蔵村山市にある国立感染症研究所の施設で病原体を扱う。30日、地元住民らとの協議会で病原体の受け入れが大筋了承された。

輸入する病原体は、感染症法で最も危険性が高い1類に指定されたエボラ出血熱、ラッサ熱、クリミア・コンゴ出血熱、マールブルグ病、南米出血熱のウイルス。発熱や出血などを引き起こし、致死率が高い。

（『朝日新聞』二〇一九年五月三一日付）

人やものの行き来が活発になると、国内に存在しない感染症が持ち込まれるリスクが高まる。グローバル時代の宿命。東京で開催される五輪を観戦しようと世界中から人が集まれば、確かに感染症リスクも高まるのだろう。

だから検査体制を強化するというのは理解できる。しかし国内に新しい感染症が持ち込まれることを恐れているのに、自分から病原菌を持ち込んでしまうという論理がどうもわかりにくい。まるでサッカーの「オウンゴール」のようではないか。

わかりにくいから調べてみようと思った。資料を手繰っているうちに1964年五輪も感染症と無縁ではなかったことに気づいた。

たとえばポリオ（急性灰白髄炎）という感染症がある。日本では一九四〇年代から全国各地で流行が発生、毎年およそ三〇〇〇〜五〇〇〇名の患者が出ていた。幼い子供が罹《かか》りやすく、重症化すると運動神経が侵されて筋肉が麻痺し、呼吸ができなくなって死に至る患者も少なくなかった。治療薬はない。〝鉄の肺〟と呼ばれていた巨大なタンク状の人工呼吸器に首だけ外に出して身体全体を入れ、圧力を増減させることで呼吸をさせる。こうして九死に一生を得る患者もいたが四肢に麻痺が残ることがあったので、日本では「小児まひ」と呼ばれていた。

この病気が六〇年に北海道夕張市で大流行した。防疫のために陸上自衛隊が出動、総量四万五〇〇〇リットルもの農薬ＤＤＴを散布する大ごとになった。ハエがウイルスを運んでいると考えられたからだったが、もとはと言えば下水の未整備が原因で、環境中にポリオウイルスが広まっていたことがそもそもの元凶だった。開高健が『ずばり東京』で「ぼくの〝黄金〟社会科」と題して訪問していた下水処理場は、感染症対策の一環として建設が急がれてもいたのだ。

こう書くと読者諸兄の脳裏に浮かぶ疑問があるだろう。治療薬はなくとも予防はできたんじゃないか、ワクチンはどうしたんだ、と。

確かにポリオワクチンはこの時点でも存在していた。五二年に米国人ウイルス学者ジョナス・ソークが感染性をなくしたポリオウイルスを用いた不活化ワクチンを作っている。この〝ソークワクチン〟は日本にも五四年四月に輸入され、幼児五名に実験使用されて以来、希望者への接種が続いていた。

だが流行を防ぐには全く数が足りなかったのだ。岸内閣崩壊後に発足したばかりの池田内閣は夕張の流行を目の当たりにし、ポリオ対策の必要性を思い知る。事態は急を要した。ソークワクチンは三回の接種が必要で、効力を十分に発揮させるには二回目と三回目の接種の間に七カ月を空ける必要がある。六〇年一二月からの国会召集を待って審議を重ねてから動き出すのでは夏の流行に間に合わないのだ。

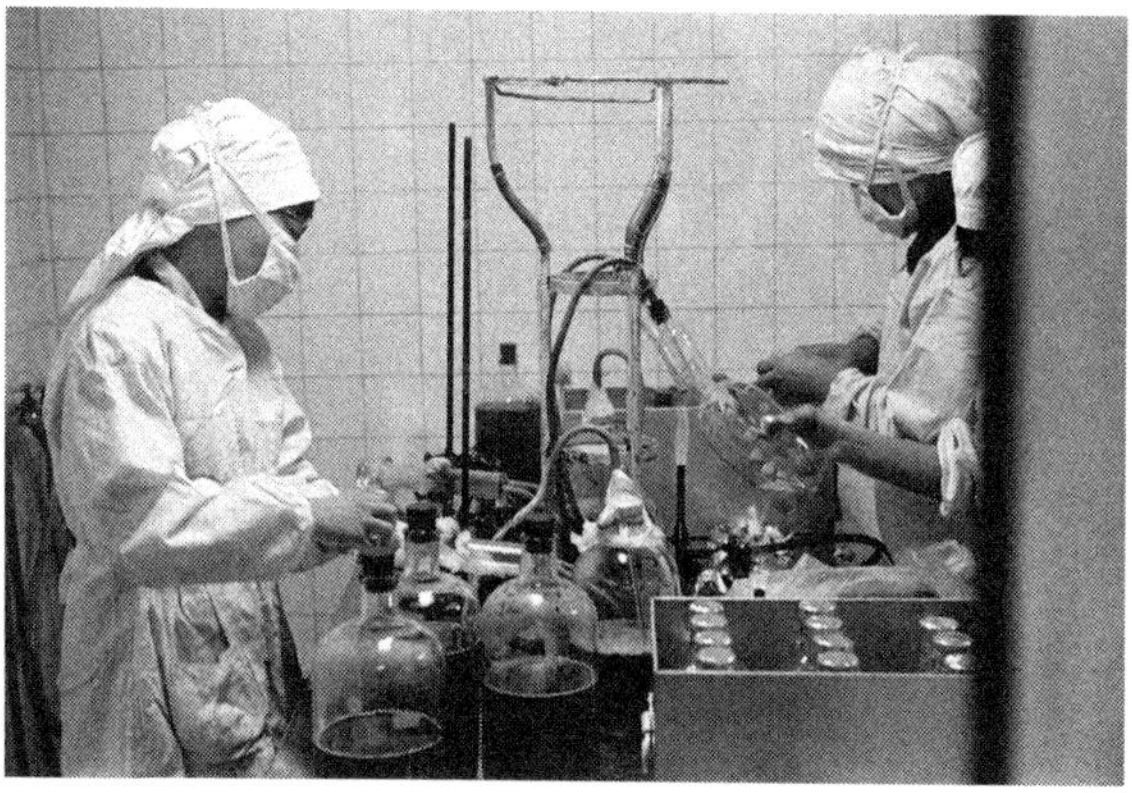
無菌室でポリオワクチンの研究を行う国立予防衛生研究所の所員［東京都目黒区、1961年1月］　提供：共同通信社

そこで池田内閣は六〇年一一月に閣議了解をもって翌年一月までにワクチンの確保と（効果と安全性の）

検定を行うことを定めた「急性灰白髄炎緊急対策要綱」を実施しようとした。これを受けて厚生省は六一年末までに必要となるソークワクチンの量を一万八〇〇〇リットルと見積もり、うち一万一〇〇〇リットルを国産でまかなう計画を立てた。

実は国立予防衛生研究所（略称「予研」、現・国立感染症研究所）が五八年から民間業者と共同で製造法の開発にあたっており、国産化ができれば十分な量のワクチンが用意できるはずだった……のだが、六〇年一一月に千葉県血清研究所が国産第一号のソークワクチン六〇〇リットルを完成させたものの、予研で検定した結果、効力が十分ではないことが分かって不合格に。国産第二号の大阪大学微生物研究所製造の六〇〇リットルも安全性が疑われて不合格となる。

合否の判定を下していた予研も順風満帆からはほど遠かった。四七年に東大伝染病研究所の一角に設置された予研は五五年に品川の旧海軍大学校跡地に移転していたが、ワクチン製造が本格化する中で施設が手狭となり、検定業務に遅れが出るなどの支障を来すようになっていた。

■政治の影を帯びたワクチン

こうして国産化計画に赤信号が灯るなか、六一年にもポリオの発生が報告され始める。保健所からの報告を厚生省が集約していたそれまでの体制では患者数の発表まで一カ月かかっていたが、NHKが各地の情報を集計し、即刻報告するようになっていた。この「ポリオ日報」活動についてNHK社会部記者の上田哲（後に日本放送労働組合中央執行委員長を経て社会党から出馬し、衆参社会党議員となった）が後に著書『根絶』（現代ジャーナリズム出版会）でまとめている。
そこに注目すべき文言がある。ポリオのキャンペーン報道を上田は六〇年の夕張の流行中に思いついた。そして今後の報道の方針をこう決めたという。

来年もまた二、三千〜五、六千人の患者は必ず出る。それだけの発生を、十分に予防対策のない去年までなら目をつぶっていたのもやむをえない。しかしもうそれではならないはずだ。なぜなら、すでにわれわれには生ワクチンがある。根絶の可能性まであるというこの時期に、もはやいかなる流行も許してはならぬ。そもそも手足が不自由になる子供の数が数万人いれば社会問題だが、数千人では問題ではないという話はない。来年こそは、今まで問題にできなかった数千人という例年なみの患者の数を、あえて〝大流行〟と大声で叫び上げて勝負することが本当なのだ。今は母親たちと手を携えて力いっぱいたたかうことができるのだ、恐怖を撒くのではない、根絶をめざすのだ。「流行だ、流行だ」と精いっぱい叫んでみよう、と私は思った。

生ワクチンとは何か。不活化ワクチンに少し遅れて、やはり米国でアルバート・セービンが毒性を弱めたウイルスを生きたまま利用する経口生ワクチンを開発。予研ではセービンから提供を受けた生ワクチンを用いて実験を開始しており、たとえば『読売新聞』五九年七月二二日付の記事には予研の北岡正見が「確実で早い効果」と題して寄稿している。

ソークワクチンは、接種した当人の感染は防げるが腸内に生息するウイルスまでは殺せない。その点、生ワクチンは本人の発症予防だけでなく、腸内のウイルス増殖も抑えるので流行の鎮圧まで期待できた。関係者の話を聞いてそれを知っていた上田は生ワクチンこそ〝本命〟と見込んでいたのだ。

しかし、生ワクチンは政治の影を帯びていた。当時、その最大の生産能力を持っていた国はソ連（現ロシア）だったのだ。実際、六〇年一一月にはソ連中央評議会が総評に生ワクチン一〇万人分を提供すると申し出ている。ワクチンを外交の手段とする、後の中国の〝パンダ外交〟に近い状況が生ワクチンを巡って繰り広げられていたのだ。

厚生省はこの〝善意〟の申し出に対して、生ワクチンは日本ではまだ基礎実験の段階で、製造方法や安全性を調べる検定方法も確立されていない、輸入しても使えないという見解を示してストップをかけた。

しかし、それは〝赤いワクチン〟を受け入れるわけにはいかないというメンツの問題にほかならず、本音をいえばワクチン国産化が暗礁に乗り上げ、対策において致命的に後手に回りつつあった厚生省としては即効性のある生ワクチンは喉から手が出るほど欲しかった。そんな状況の中で上田は「数千人という例年なみの患者」数であっても「あえて〝大流行〟と大声を叫び上げ」、本命の生ワクチンに舵を切らせようとしていたのだ。

ＮＨＫニュースの「ポリオ日報」が始まった六一年四月一六日時点で患者数は全国で四二三人、四月末には五〇〇人に達した。こうなると厚生省も土俵際まで追い詰められる。実は厚生省はソークワクチンを使っていくという姿勢を表向きで取りつつも、全国の学者や小児科医を構成員とする「弱毒生ポリオウイルスワクチン研究協議会（生ワク協議会）」を六〇年一二月に発足させ、研究に当たらせていた。その活動費は池田内閣で閣議了承された緊急対策要綱の予算が用いられていたので厚生省の隠密部隊であることは明らかだった。

五月六日には、二月に予研に届いていた（ソ連製ではない）英国ファイザー製生ワクチン四七〇〇人分を生ワク協議会の医師たちが魔法瓶に詰めて全国に持ち帰り、治験を始めている。

九州に前年の夕張を彷彿させる流行の兆しが見られるようになった五月一七日には、予研に備蓄されていたファイザー製生ワクチン五万人分の放出を閣議で決めるとともに、英国に問い合わせてさらに三〇万人分を緊急輸入し、合計三五万人分が二六日に九州で〝実験投与〟されることになる。

しかし、まだ足りない――。

■感染症が蔓延する五輪開催国

五輪開催を前に小河川の暗渠化や下水整備に弾みをつけようとしていた東京でもポリオは発生した。六一年三月一三日、東京都中野区で生後一一カ月の女児がポリオと診断され、六月には足立区大谷田町で五歳児が発症、次いで一歳児、二歳児と発症が続いた。同じ町内で二週間以内に二人以上の発生があった場合に「集団発生地」とする決まりがあり、六月一三日、東京都は大谷田町を都内で初めて「ポリオ流行地」に指定、朝から町一帯の消毒を始めている。

こうした状況を横目で見ながら、患者発生数が一〇〇〇人の大台に乗ったときに生ワク利用を求める攻勢に出よう。そう考えていた局内のやり取りを上田は『根絶』の中で再現している。

「一〇〇〇人突破の危機感を最大に世論に訴えることだ。これを抵抗線にしよう。この線を見すごしてこれ以上患者をふやすわけにはいかん」

「それをもって生ワクの一斉投与にもちこむことができるかどうかだね」

「そこで生ワク切りかえができなければ、もう今年はヤマのチャンスはない。キャンペーンの負けだ」

「よし、それでいこう。具体的には、一〇〇〇人突破で全国的な流行の危機感を鮮明にして生ワクキャンペーンに切り替えだ。九州の三十五万人をぜひ日本中に、という主張をハッキリ前に出す。世論が味方だ。その力で学問と政治に迫るのだ。……」

そして六月一六日——、午後七時のNHKニュースは全国の患者数が一〇〇〇人を突破したことを伝えた。ローカルニュースがそれに続いて都下の緊急対策の様子や、神奈川県庁に婦人会が約三七〇〇人分の署名をもって生ワクチン使用の陳情をしたことを報じた。一〇〇〇人突破は午後九時の全国ニュースでも取り上げられた。

確かにこれで世論の潮目が大きく変わった。

たとえば『読売新聞』六一年六月一八日の社説は「小児マヒ広がる」「東京五輪、最終決定へ」と並び、この時期、この二つが社会的一大関心事だった事情を物語る。「ポリオ流行地」に指定される感染症多発の東京はまるで途上国の首都のようで、五輪開催には似合わない。

一九日には足立区の主婦を先頭に結成された陳情団が厚生省の衛生局長と薬務局長に直談判し、生ワクチンの緊急輸入を迫る。「アカハタ」（六一年六月二五日）に母の声が記録されている。「五体満足に生まれたこどもが一晩で不具者になってしまう。これほど惨い病気はないでしょう。早く生ワクチンを出してください！」

1961年5月のメーデーで、生ワクチンの配布を訴える子供。「早く‼　生ワクチン」の文字が見える　提供：朝日新聞社

こうした動きに対して厚生省は生ワク協議会の幹事会を招集、二二日には一三〇〇万人分の生ワクチンを緊急輸入する旨を古井喜実厚生大臣（当時）が発表する。談話を『朝日新聞』（六一年六月二二日）が掲載している。

今年から全国的にソークワクチンの予防接種を行うほか、地域的に生ワクチンの試験投与などの緊急対策を講じてきた。しかし流行の最盛期を前にして被害を最小限度にとどめるために、この際最後的な予防対策をとることに決意した。生ワクチンの使用は綿密な検定と実験を終えなければたやすく承認できないことであるが、事態の緊急性を思っていたところ21日の午後、専門家との会合で理解ある態度を示してくれたので非常に勇気付けられた。

それは事実上、ソ連製生ワクチンを使うということだった。『毎日新聞』は同日の記事でこう解説している。

同省の方針としては、現在世界で生ワクチンを生産しているソ連、アメリカ、イギリス、カナダ、スイスの五カ国に照会して輸入先を決めることにしているが、大量輸出能力をもつ国はソ連しかないので、ソ連からの大量輸入に落ちつかざるをえないとみられる。（中略）ソ連製生ワクチンは先に総評を通じて厚生省に寄贈された検定用原液が十九日から国立予研で検査に入っているので、来る七月十日前後には検査が終わり、実際に使用できるはこびとなる模様である。

■生ワクチンの国産化へ

緊急事態となればワクチンに〝赤〟も〝白〟もない。こうした厚生省の判断は広く歓迎された。ちなみに先に引いた社説の一週間後の読売新聞社説は「東京五輪は20種目に」と「小児マヒに英断」で、またもや五輪とポリオのセットだ。曰く「小児マヒの大流行を食い止めるため厚生省は二一日、一千万人以上の生ワクチンを緊急輸入し、最低限度の安全検査のうえ投与させる臨時貿易措置を決めた。この緊急措置は台風災害と同じように重要な事態にあるという判断からなされたものだが、ソークワクチンの定期接種をはじめて半年たらずで生ワクチンの大量投与にふみ切ったことは貿易当局の画期的な英断と言えよう」。

六一年七月二一日に一〇歳以下の小児全員一三〇〇万人に一斉投与が行われた。九一％という驚異的な投与率となった予防措置の効果はめざましく、それまで最大で一八二人を数えた週間患者発生人数は九月には一〇名を切るまでに減った。

こうしてポリオの流行を抑え込んだ六一年が過ぎて、遅ればせながら生ワクチンの国産化も進み始めた。六二年夏には薬品メーカーの共同出資で「日本生ポリオワクチン研究所」が設立され、六三年春に量産態勢に入る。作業の遅さが批判されていた予研も、六一年六月に東京都多摩郡村山町（七〇年に武蔵村山市と改称）にあった国立村山療養所（当時）の敷地の一部を使って新しいワクチン検定分室を完成させ（『予研20年史』）、ポリオワクチン検定のためのサル飼育舎を併設、六二年には「ウイルス疾患の実験室診断のレファレンス・ラボ」としての機能を果たすことを目的としてウイルス中央検査室が新設される（『予研50年史』）。

こうした体制の下、五輪開催の六四年にはついに国産生ワクチンの使用が始まり、ポリオ届出患者数は年二五人とついに三桁を切った（平山宗宏「ポリオ生ワクチン緊急導入の経緯とその後のポリオ」）。

六〇年との比較では二二〇分の一以下にポリオ発症を減らすうえで大いに貢献した予研村山分室こそ、その約半世紀後にエボラ出血熱など強毒性ウイルスを海外から輸入すると報じられ、世間に少なからぬ衝撃を広げた国立感染症研究所村山庁舎の前身にほかならない。

こうした感染症対策の歴史にも、1964年五輪と2020年五輪の間の日本社会の変化が刻み込まれている。

■武蔵村山の〝特産品〟

二〇一九年五月に感染症法上の第一類に分類される高病原性のウイルスの持ち込みが発表された国立感染症研究所村山庁舎を訪ねてみた。武蔵村山市は東京都で唯一、鉄道が通っていない市だ。感染研に関しても西武拝島線と多摩都市モノレールが交差する玉川上水駅が比較的近いとはいえ、歩ける距離とは言い難く、路線バスなり自動車なりの世話になることになる。車窓には集合住宅や一戸建ての住宅が立ち並び、ファミレスやドラッグストアが沿道に営業している典型的な郊外の風景が続く。

しかし、ポリオワクチンの検定のために感染研の前身となる国立予防衛生研究所（予研）がここに村山分室を作った時の風景は全く違っていたようだ。

武蔵村山の〝特産品〟は長く自動車だった。一九五〇年代末には自動車の貿易自由化が秒読み状態だと言われ、自動車メーカーはいずれも量産体制の確立を急いでいた。プリンス自動車（社名は転々と変わっているがここでは便宜的にプリンスで統一する）も五九年初めごろから工場用地の検討を開始し、村山、砂川両町にまたがる約四〇万坪の平地に目星を付けた。「今となっては信じられないが、この広大な土地には人家は牧畜農業わずか一軒しかなかった」（桂木洋二『プリンス自動車の光芒』グランプリ出版）という。当時の村山町は青梅街道沿いに住宅があったが、その南側は表土が薄いこともあって農地化されずに残っていた。予研が分室を作った国立療養所の周辺にも人家はほとんどなかったはずだ。

六二年に工場の創業を開始したプリンス自動車は六六年には日産自動車と合併して消滅するが、ドラマチックなエピソードを置き土産にしている。村山工場にはトヨタ、日産にもない一・四㎞の長いストレートを含むテストコースが造られていた。そこで鍛えた車両の実力披露の場を求めてプリンス技術陣は六四年五月に鈴鹿サーキットで開催された第二回日本グランプリに照準を合わせ、４気筒エンジンを搭載していたスカイラインのボディを前後方向に延長して、グロリア用６気筒エンジンを無理やり積み込んだスカイラインＧＴを参戦させる。

レース本線ではこのスカイラインＧＴがポルシェ９０４を抜き去ったのだ。レース参戦用にゼロから開発されたポルシェ９０４と箱型のファミリーセダンを即席に改造したスカイラインＧＴ

との性能差は明らかだったので、グランドスタンドの観客は首位で戻ってきた〝スカG〟を総立ちとなって歓声をあげて迎えた。すぐにポルシェが抜き返したのでその英姿は一周しか拝めなかったが、そこで味わった、戦争ではない場所で世界と競い合う興奮はそのまま東京五輪に繋がってゆく。村山工場記念誌『憩いの広場』にはプリンス社員が聖火ランナーや競技役員に積極的に参加し、グロリアが聖火リレーの伴走車両となったことを誇らしげに記している。

■逆風の中の国立予防衛生研究所

この時期、武蔵村山にはもうひとつ大きな出来事があった。五階建てアパート九七棟が立ち並ぶ都内最大の集合住宅である都営村山団地が建設され、六六年から入居が始まり、ピーク時には一七万近い人がそこに暮らすことになったのだ。

こうした変化は予研に逆風を吹かせる。

一九七九年九月、厚生省公衆衛生局員二人が武蔵村山市役所を訪ねた。留守中だった市長に代わって応対した助役に対して厚生省側は予研の村山庁舎にP４施設を建設予定であることを告げた。今ではＢＳＬ（Biosafety Level）の語を使うが、この時期はＰ（Physical containment）の後に数字をつけて「物理的封じ込め＝安全性」の程度を示していた。

このP４施設建設に関しては翌八〇年四月一〇日の朝日新聞記事に言及されているが、「病原体、怖さの番付」と題された記事中に「危険度４の病原体を扱える施設は、目下、厚生省が予研

1967年、建設中の都営村山団地　**提供：朝日新聞社**

村山分室（東京都武蔵村山市）に建設中」とわずかに触れられている程度で、特段の話題にならなかった。そのまま六月には工事が始まり、八一年六月に施設完成。その後、読売新聞の多摩版が一〇月二九日にP4施設について報じ、「毒性や感染性が最強クラス」の病原体を扱う、世界でも米国に二カ所、英国と南アに一カ所ずつしか存在していない特別な施設であるという事実が地元でも知られるようになる。

槇敦子「武蔵村山予研P4施設と住民」（『技術と人間』臨時増刊八三年六月）はその後の動きを詳細に伝えている。特にP4施設について強く問題視したのは村山団地の連合自治会だった。

あなたは毒蛇と同じ部屋で
たとえ厳重なオリの中にそれが収容されていたとしても——
同居できますか?!
（連合自治会報第七九号）

連合自治会は一一月二〇日に市政懇談会の開催を市に申し入れ、一七項目に及ぶ質問表が自治会側から市に提示された。これを受けて市議会は「安全確保がなされるまでは実験開始を控え」「安全確保ができない場合は施設移転を求める」意見書を市として厚生大臣に提出することを決議。厚生省側も手続き上の不備、配慮の不足を認め、実験開始の延期要請を受け入れる。

住民の声が議会を動かした背景には、多摩地区がそもそも市民活動の活発な土地柄だった事情がある。その拠点になったのが、多摩に多く造られた大規模団地だった。団地は核家族がプライベートライフを充実させる米国流のマイホームの器としてイメージされるが、建築様式としてはソ連の郊外集合住宅の均質主義に学ぶところが多かった。合理的設計を施された同じ規格の住居が並ぶ団地に暮らすこと自体が平等性への意識を住民に育み、不当な権利侵害に関して抵抗させる気運を生じせしめた。

また団地は、理想と現実のギャップを激しく実感できる場所でもあった。新しいライフスタイルに憧れて住み始めてはみたものの交通の便が整備されていない、幼稚園がない、小学校が足りないなど暮らしにくい。そこで住民たちは自分たちがあげる抗議の声を政治につなげる役割を果たす政党を支持する。たとえば六一年に刊行された読売新聞社会部編『われらサラリーマン』には東京と大阪郊外の団地二〇〇〇世帯にアンケートを実施した結果、革新系政党の支持率が両都市平均で五八％となり、保守系の三六・八％を大きく凌駕していたことを伝えている。

村山団地完成後の六七年の衆議院選挙でも、村山町で最も高い得票率を得たのは社会党だった。同年の東京都知事選挙では社共両党が美濃部亮吉・東京教育大教授を、自民党・民社党が松下正寿・立教大学総長を擁立。選挙結果は、23区では美濃部一七四万票、松下一七一万票と僅差だったが、多摩一七市では美濃部三七万票、松下二七万票と差がついた。「美濃部都政は多摩から生まれた」と言われる所以であり、さらに踏み込んで美濃部都政は団地が生んだとも言えよう。

もうひとつ、団地の特性をあげるなら、際立って出生率が高かったことだ。たとえば全国平均の出生率が一〇〇〇人当たり一七・二人だった六〇年に、東京郊外のひばりが丘団地では五五人と三倍強に及んだ。前稿でポリオ（小児まひ）の話を書いたが、幼い子供を抱える母親が多かった団地はソ連製生ワクチンの緊急輸入を求める市民運動の拠点となり、ひばりが丘団地でも六〇年九月一一日に「子供を小児マヒから守りましょう」の集いが開かれている（原武史『レッドアローとスターハウス』新潮文庫）。

口さがない人なら〝赤い〟団地族が〝赤い〟ワクチンを求めたと言いそうな構図だが、ポリオ生ワクチン要求運動後に建設された村山団地のＰ４施設稼働反対運動と繋げてみると別の視点も得られる。

村山町では団地に住む家族の子供を受け入れるために六七年に町立第五小学校、七〇年には塀を挟んですぐ隣に第六小学校が設立された。ひとつの学校のクラス増では間に合わず、小学校を二つ並べて建てざるをえなかったところに高度成長期の団地らしい人口増加の凄まじさがうかがえる。この二つの小学校は予研とも敷地を接しており、「子供をリスクから守る」という、政治的イデオロギーとはスジの違う大義がポリオ生ワクチン要求とP4反対を貫く糸になっていた。

厚生省側としては、対話を重ねれば問題は解決し、P4施設は利用可能になると楽観視していたフシがある。ところが、翌八一年三月に実験内容の定期報告を条件に実験再開を求めたものの、市議会は反発。八三年にも協定案を市側に提示したが不調に終わり、以後、P4レベルの施設は使われずにきた。

■感染症をめぐる国民意識の変化

このP4レベル施設が長い休眠から目覚める。感染研村山庁舎の取材では、西條政幸ウイルス第一部長にまず五輪との関連を問うてみた。「五輪があるから特別に感染症対策が必要になったということではない。海外から多くの人が日本を訪問する機会になり、テロに備える必要も当然あるけれど、感染症に関しては普段からの安全対策が大事」。

予研＝感染研としてみればP4施設は八一年から使えていてよかった施設だった。とはいえ品川庁舎を新たに戸山新庁舎に移転させるに際しても近隣より訴訟を起こされるなど風当たりが強く、これ以上、波風を立てることを避けたのか、長く休眠状態に置かれていた。

感染症をめぐる国民意識が変わってきたことも考慮すべきだろう。感染症が大流行しているときには、行政の〝不作為過誤（ワクチンなど予防措置をしない結果として感染症が広がってしまう）〟

が強く叱責される。ポリオ生ワクチンの導入を働きかけた市民運動がまさにそれだった。しかし衛生状況の整備や予防対策の効果が出て流行が下火になると今度は予防措置自体のリスクが意識されるようになる。

たとえば日本では八〇年を最後に野生ウイルスによるポリオの発症例はない。「野生」という限定がつくのは、生ワクチンの副反応としてポリオ様症状を発症させることがあるからだ。生きたウイルスを弱毒化して使うので、確率的には少ないが、投与が原因として被害が発生する〝作為過誤〟がありうる。たとえば種痘も天然痘の恐怖と入れ替わるように「種痘後脳炎」と呼ばれる種痘禍が社会問題化し、七〇年に被害者が国を相手に損害賠償の訴訟を起こし、七二年には種痘の集団接種制度が見直されている。

予研はポリオ対策が軌道に乗った六五年に麻しんウイルス研究部を創設、その後、おたふく風邪（ムンプス）、風疹ウイルスの研究も進め、これら三種のウイルスに対応する混合（ＭＭＲ）生ワクチンの検定も行ったが、ＭＭＲワクチンは八九年の使用開始直後から副作用の報告が相次いだ。強制接種を保護者同意接種に切り替えた国分寺市など、自治体によって使用に慎重となる動きがあり、九三年に厚生省は全国的な使用禁止に踏み切っている。

不作為過誤と作為過誤の両面から責任を問われるジレンマの中で、厚生省は九四年の予防接種法改正において「国民全体の免疫水準を維持し、これにより全国又は広域的な疾病の発生を防止する」ために接種を義務づける制度設計から、「個人の意志を反映」させつつも「疾病予防のために接種を受けるように努める」ように勧奨する接種制度への転換を選択した（手塚洋輔『戦後行政の構造とディレンマ』藤原書店）。

こうした流れの中で国立予防衛生研究所の社会的位置づけも変わらざるを得なかった。九七年の国立感染症研究所への改称は、社会防御のために感染症を予防する作為自体がリスクとみなされる風潮の中でなされている。

■グローバル化時代の感染症対策

そこで「内憂外患」という言葉を思い起こす。市街地の衛生状態も保たれるようになって「内憂」としての感染症対策は一区切りを迎えた。だが、「外患」となると話は別だ。渡り鳥が強毒性インフルエンザをもたらすのではないかという話はしばしば聞かれるし、人やものの移動が増えるグローバル化時代になると、医療や防疫水準が低い地域が海外にある限り一国内で感染症対策は完結しない。

ちなみに今回のエボラウイルス持ち込みの判断に関しても「二〇一四年の西アフリカで発生したエボラ出血熱の流行が大きかった」と西條氏は言う。一四年三月にWHO（世界保健機関）がエボラ出血熱の流行を警告。その後もシエラレオネなど西アフリカでの流行は鎮まらない。一〇月には滞在先の西アフリカから日本に帰国した旅行者にエボラ出血熱感染の疑いがもたれ、羽田空港から国立国際医療研究センターに緊急搬送されている。患者から採血された検体は村山庁舎に届けられた。診断がなされる前の患者の血液を調べる検査だったので、遺伝子検査はＢＳＬ３施設で実施されたが、その結果は陰性であった。

　その後も一一月に二人、一二月にも一人の旅行者がエボラ感染を疑われ、感染研村山庁舎が遺伝子検査を行っている。いずれも陰性だったが、米国、スペインでは帰国者が国内でエボラ出血熱と診断された例が出ており、日本でもいつか一線を越える可能性があった。

　こうした中で一五年の武蔵村山市長と厚労省の協議がなされる。塩崎恭久厚生労働大臣は閣議後の記者会見で次のように述べた。

「八月三日の武蔵村山市の市長さんとの会談を踏まえまして、八月七日付けで感染症法の規定に基づいて国立感染症研究所村山庁舎の施設を、いわゆるＢＳＬ―４施設として指定をいたしました。御報告を申し上げたいと思います。市長と確認をした事項に沿って、地域住民の皆様方の安全と安心を最優先として、運営するように努めてまいりたいというふうに思っているところでございます」（厚労省ＷＥＢより）。エボラウイルスを国内で扱うためにはＢＳＬ４の施設を使う必要がある。地元では反対意見はもちろんあったが、八一年と違って稼働の阻止までには至らず、ウイルス持ち込みは今や秒読み状態となっている。

　そんな研究所周囲の住民構成も変化していた。老朽化した村山団地は九七年から建て替えが始まったが、事業の対象となる居住者は一万四〇〇〇人（「村山団地再生事業」『新都市開発』九七年一〇月号）まで減っていた。久保寺健彦の小説『みなさん、さようなら』（幻冬舎文庫）に描かれたように団地で生まれ育った子供たちは成長するにつれ、家族の引っ越しや、本人の進学、就職の機会に団地から離れていく。少子化が進み、団地の子供の主な通学先だった第五、第六小学校はひとつに統合され、雷塚小学校になった。一学年二クラス（ほかに特別支援学級が一二クラス）、生徒数は学校全体で三九九名である（二〇一九年四月時点）。

残されるのは高齢者だ。村山団地では建て替えで住居棟の位置が商店街から離れる不便をカバーする送迎自転車サービスをいち早く導入するなど、高齢化に抗うユニークな活動には相変わらず自治会の意気軒昂を感じるが、それでもかつての賑わいはさすがにもはや望めまい。

■必要な情報公開と透明化

だが、住民側が押し切られてBSL4稼働が実現したと考えるのは短絡かもしれない。BSL4施設を動かすメリットも確かにあるのだ。西條氏によれば「ウイルス検体をあらかじめ持っていれば患者さんの体内にウイルスに抵抗できる免疫機構が成立しているか調べる中和抗体法という検査ができる。感染性の有無が判断できて退院できるかどうかにつながるので患者さん本人と周りの人にはメリットがある」。

確かに一九八七年にシエラレオネからの帰国者がラッサ熱を発症した時、アメリカのCDC（アメリカ疾病予防管理センター）のP4施設に検体を送って各種の検査をしたために時間がかかり、患者本人や家族に負担を強いることになった。国内で中和抗体法の検査ができるようになればその点は改善される。

　個人の権利や生活の質を守る。そこに社会防衛色の強かったかつての予防接種行政とは違う性格がある。自分の子供を守るという具体的な対応を超えて、不特定の個人の権利やＱＯＬ（クオリティ・オブ・ライフ）にも配慮できるようになったことがＢＳＬ４施設稼働の受け入れだったとすれば、そこに公共的な意識の成熟も感じる。

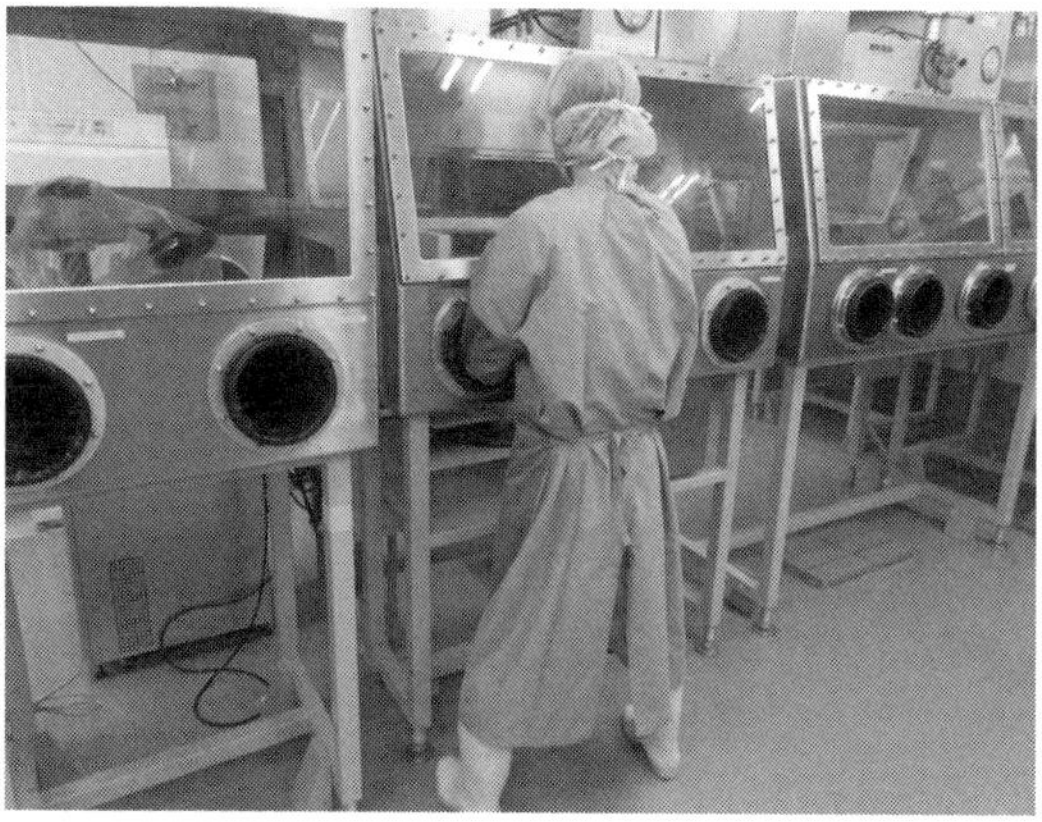

BSL4施設内での作業風景　提供：国立感染症研究所

　だが、個人の被害を減じるために不作為過誤を避けた結果が逆に作為過誤をもたらすのでは困る。リスクのあり方や、それとの向き合い方を細かく見ながらバランスの取れた対応をしていく必要があるはずだ。

　たとえば今回の取材では事前に訪問の足に使った自家用車の車種、ナンバーを登録していたが、入口前で警備員が事務所と連絡をとってようやく開門された。高度の病原性を持つウイルスなどを扱うために特殊なキャビネットの中で作業を行うほか、実験室からの排気は二重の高性能フィルターで浄化、入室に際しては認められた作業者だけが個人防護服を着用して入室することができる。こうした厳しい条件が設けられているＢＳＬ４施設の物理的な安全基準はＰ４と呼ばれていた頃から変わらないが、テロ対策を意識したセキュリティ確保により力を入れるようになったのは現代的な要請だ。

しかしテロ対策が秘密主義強化の口実に使われては困る。生物兵器開発につながるのではないか等々と懸念する人もいるので、実験室内で何をどう扱っているのか、その情報公開、透明化は必要だろう。エボラウイルスをはじめ、いわゆる特定一種病原体が既に持ち込まれたことを九月二七日付で感染研はホームページで知らせたが、ＢＳＬ４施設の利用状況は報道等を通じてもっと広い範囲での関心を喚起してもいいはずだ。

「外患」を相手にする場合、時として対応に熟慮を欠く場合がある。「外」からやって来る未知のリスクに対する恐怖心の高まり、それと戦って「内」を守るのだというナショナリスティックな感情との共鳴など様々な要素が関わってのことだろう。「内」「外」の一線が引かれると感情の振幅が激しくなりがちなのは、かつて第二回日本グランプリでポルシェ９０４を村山工場製のスカイラインＧＴが抜き去った時の興奮や、五輪など国際競技で国内勢が奮闘したときの感動にも通じるものなのだろうが、ここは冷静な対応を望みたい。

8　二〇二〇年のお犬様の天国

（2020年1月30日、31日掲載）

二〇一七年衆院選に際して「希望の党」が掲げた公約には仰天した。「『希望への道』しるべ」と称して一二個の〝ゼロ〟を掲げる。中には「花粉症ゼロ」とか「満員電車ゼロ」などまで含まれており、そうあってほしいという願望や感情は理解できるが、キモチで政治ができますかと言いたくなった。

小池百合子都知事を誕生させた「都民ファーストの会」を母体に国政選挙に向けて結成された「希望の党」は、選挙戦が始まると、旧民進党との合流過程で「基本政策において一致しない議員は排除する」との刺々しい知事発言も飛び出して、急速に失速し惨敗する。

そんなわけで、達成できた公約などなかっただろうと思えばそうでもない。「都民ファーストの会」の公約でもあった「ペット殺処分ゼロ」は、東京都では五輪開催の二〇二〇年までの、つまり一九年度中の達成を目標としていたが、一年前倒しで一八年度中に達成された。

殺処分とは何か。端的にいえば殺すことだ。

人間だったら「死刑」だが、これは刑罰である。動物に罪はないのだが、それでも殺す。そこに罪はないがイキサツがある。

日本で最初に動物の殺処分を盛り込んだ法制度は、一九五一年に制定された家畜伝染病予防法だ。家畜伝染病に罹《かか》った動物について、感染拡大の防止、経済的悪影響などの副次的被害の防止という観点から都道府県知事が当該動物を殺す命令を出せる等と規定されている。確かに高毒性のインフルエンザウイルスの感染が確認された鶏が鶏舎ごと殺処分される光景は時々報道されている。その根拠となるのがこの法律である。

しかし、殺処分を規定するもうひとつ別系統の法律がある。一九五〇年に施行された狂犬病予防法だ。同法はまず飼い犬の登録と狂犬病の予防接種を飼い主に義務づける。登録と注射が済んだ犬には鑑札と注射済票が与えられるので、それを首輪などにつけなければならない。もし鑑札や注射済票をつけていない犬が発見された場合、都道府県知事等から〝狂犬病予防員〟として任命された獣医師が捕獲、抑留する。市町村長は捕獲された犬の特徴などを一定期間公示し、その間に所有者が犬を引き取りに来ない場合は、狂犬病予防員はその犬を「処分することができる」としている。

二つの法律は飼い主と動物との二通りの関係に対応している。家畜の場合、肉牛などは動物自体が商品なのだし、農耕に使う牛馬であれば道具である。家畜には役割があり、その役割を果たしている限り、飼い主は大事に管理し、面倒を見るだろう。

しかし、ペットとして飼われている動物と飼い主との関係は曖昧だ。商品でもなければ、道具でもないから、動物と飼い主の関係は時にぷっつりと切れる。ペットが逃げ出してしまったり、飼い主が捨ててしまったりすることがある。登録や予防注射を怠る飼い主もいるので、飼い主との関係が切れた〝元ペット〟も狂犬病予防法による捕獲や殺処分の対象となる。実際、かなりの数の犬が捕獲収容され、狂犬病予防を建前に殺処分されてきた。

だからこそ、おや、と思うのだ。開高健が『ずばり東京』の中で犬について書いた回の題名は「お犬さまの天国」である。

どの町角にたっても災厄が手足をはやして人間にとびついてくるのじゃあるまいかと思いたくなるようなこの都だが、犬にとってはすばらしい住み心地のする町である。犬の学校もあれば犬の病院もあり、美容院もあれば服屋もあり薬屋もあれば墓場もあるというぐあいである。目薬もあれば、チューインガムも売っている。靴もあれば、レインコートも売っている。人間にはない系譜監査院までできているのだ。

と、お犬さまの〝天国〟のことばかり描いているが、こちらは比喩である。天寿を全うできずに殺されて本当の天国に逝く犬には触れていない。戦争が終わってまだ時の浅い時期に人々は今より死に対して不感症だったのかもしれないし、狂犬病の恐怖のほうが大きく、野犬が捕獲されて殺されるのは社会的に必要なことと思われていたのかもしれない。

だが、状況が変わってゆく、この国にありがちなこととして変化はまずは外圧に応じるかたちで――。

■殺処分に内外から批判が

一九七三年に「動物の保護及び管理に関する法律（動物保護管理法）」が議員立法で制定される。その背景には海外からの批判があった。狂犬病予防法に基づく犬の捕獲や殺処分が手荒な方法で行われており、その様子が動物愛護の先進国といわれるイギリスなど欧米諸国の新聞に取り上げられ、「日本は動物虐待を放置したままの野蛮な国家である」との批判が集中した（藤崎童士『殺処分ゼロ』三五館）。確かに狂犬病予防法によって予防員となった保健所職員は犬を捕まえ、法定の抑留期間が終われば殺していた。

そんな殺処分の光景が海外から批判される。それを受けて作られた動管法は、たった一三条のみの簡単な法律だったが、「何人も、動物をみだりに殺し、傷つけ、又は苦しめることのないようにするのみでなく、その習性を考慮して適性に取り扱うようにしなければならない」（第二条）と謳った。

とはいえ、急場しのぎでつくった法律には無理もあった。「動物を殺さなければならない場合には、できる限りその動物に苦痛を与えない方法によってしなければならない」（第一〇条一項）と殺処分の現状を許容し、苦痛を与えないことは努力目標にとどまっていたので実効性は乏しかった。制定翌年の引き取り数は犬一一八・七万頭、猫六・三万頭、その九七・七％が殺処分と、ほとんど状況に変化はない。その後も殺処分率は長い間九五％を切っていない。

そんな状況にまた変化が訪れる。今度は外患ではなく内憂だった。

一九九七年に神戸で連続児童殺傷事件が起こり、加害少年が犯行に至る前に猫や鳩を頻繁に殺していたことが分かる。これを受けて一九九九年一二月一四日に動管法の改正が全会一致の議員立法で行われ、「動物の愛護及び管理に関する法律（動物愛護管理法）」と名称が変更されるとともに第二条では「動物が命あるものであることにかんがみ、何人も、動物をみだりに殺し、傷つけ、又は苦しめることのないようにするのみでなく、人と動物の共生に配慮しつつ、その習性を考慮して適正に取り扱うようにしなければならない」と定めた。動管法の第二条と第一〇条一項を「共生」のキーワードを用いて合体させたこの文面が動物に対する価値観の変化をうかがわせる。この愛護法は改正ごとに罰則が強化されている。

そんな中で殺処分への風当たりが強くなる。たとえば二〇〇六年に刊行された小林照幸『ドリームボックス──殺されてゆくペットたち』（毎日新聞社）の影響力は少なくなかった。


……自動通路の奥の壁、通称「プッシュ」が徐々に迫《せ》り出してくる。

犬たちは、壁に押されながら、前進するしか術《すべ》はない。

プッシュの前進は、ガラスが嵌め込まれた鉄格子付きのドアから見ることができる。

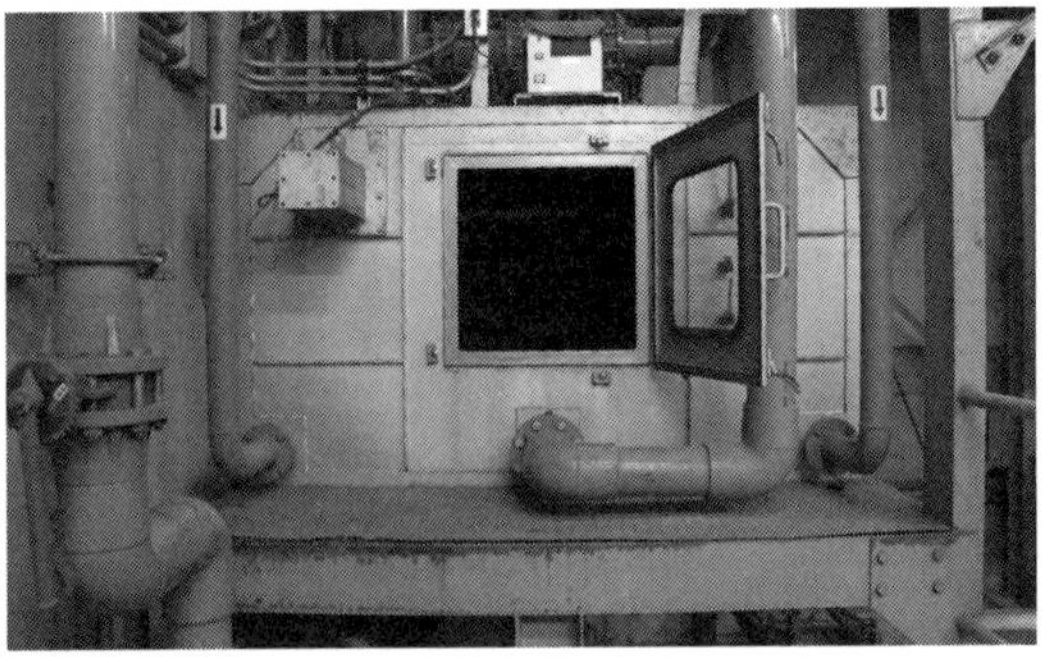

現在は使用されていない殺処分機［2018年、神奈川県動物保護センター］　提供：朝日新聞社

犬たちは叫ぶ。プードルは前進を拒み、プッシュに抗《あらが》う格好で、プッシュに頭をつけて、足をバタバタさせているが、その大きな力には及ぶわけがない。敵《かな》わないながらも、そうするしか術もない。

犬たちはそのまま幅一メートル、高さ・奥行き各二メートルほどの鉄製の箱に、閉じ込められた。（…）

「はい、ドリームボックスのロック、お願いします！」

この鉄箱を、職員たちは「ドリームボックス」と呼んでいた。

動物の収容が終了し、作業卓のボタンを押すとタンクから炭酸ガスが鉄箱の中に注入される。かつて「みだりに傷つけない」ために撲殺ではなく、硫酸ストリキニーネを入れた餌を食べさせて毒殺されるようになっていたが、その後、炭酸ガスを用いた致死処分が選ばれるようになった。ホロコーストのような毒ガスではない。炭酸ガスは動物をまず意識不明にし、苦痛なしに死に至らせるとされていた。

かくして眠り、夢を見ているうちに絶命してほしい、そんな願望が「ドリームボックス」という装置の名称になっていたわけだが、こうした言い換えは姑息だとしてむしろ反感を招いた面もあっただろう。殺処分に強く反対する動物愛護運動家はその中止を求めて政治家にロビイングし、政治家もそうした「民意」を汲んで政策に掲げるケースが増えてゆく。冒頭の小池都知事然り——。

■殺処分ゼロへの道程

東京都のペット殺処分ゼロはどのように達成されたのか、説明を聞いてみた。

「東京都では致死処分の分類の一つを殺処分としています」。東京都庁の福祉保健局環境保健衛生課職員が言う。交通事故に遭って苦しんでいる動物がいる等々の連絡を受けて収容に向かっても、到着前に、あるいは運搬中に死んでしまうケースもあり、これは不可抗力による自然死である。それに対して、生きたまま収容できても怪我や病気が重篤でもはや助けられないケースもある。あるいは動物が非常に攻撃的な性格で譲渡しようにも飼育が困難な場合もある。これらのケースでは動物福祉等の観点から安楽死による致死処分を行ってきた。

殺処分とはこうした致死処分以外、つまり生きることが十分にできる動物を殺すことと定義され直した。つまりペット殺処分ゼロは致死処分ゼロではないのだ。

このように統計の取り方が変わった。数字の読み替えは成果を誇示しようとして最近、行政が多用する手法だという印象があるが、ペット殺処分ゼロに関しては実質が伴ってもいる。まず引き取り収容数自体が二〇〇九年度には五九〇九頭だったのが二〇一八年度には八三五頭と激減している。

その背景には動物取扱業規制や飼い主責任の徹底などが動物愛護法に盛り込まれ、改正ごとに厳しくなっている事情がある。ちなみに二〇一二年の改正では動物がその命を終えるまで適切に飼養する飼養者の責任を明記、動物取扱業者にも販売が困難になった動物の終生飼養確保を求めた。この法改正により都道府県等は、終生飼養原則に反するという理由で、動物の引き取りを拒否できるようになった。つまり今までは、安易に飼い主が家で飼えなくなったといって助けを求めてきたり、ペットショップが売れ残ってしまって困っているとして行政に引き取りを求めたりすることが少なくなかったが、それができなくなった。

加えて、収容した動物を殺処分しないで済むように譲渡先を積極的に探すようになった。その一つの方法がボランティア団体との協力体制の確立である。

新たな飼い主探しを行っている団体の中で東京都の基準に適合する四八の団体を登録し、都の実施する譲渡事業に協力してもらう。都だけで譲渡を実施していた時には、「飼いたい」と名乗り出る人とのマッチングが限られた時間の中で難しく、結果的に殺処分されてしまう動物がいたが、ボランティア団体に一度譲渡して新たな飼い主を探してもらうことで時間的にも余裕ができる。トレーナーがいるボランティア団体もあり、飼いやすく躾けてから譲渡先を探すこともできる。

こうした努力は小池都政後に始まったものではない。東京都では二〇〇七年に東京都動物愛護管理推進計画を策定、一〇年後の動物の引き取り数の半減、返還・譲渡率を犬で八五％以上、猫で一〇％以上に引き上げる数値目標を立てて活動を始めている。今回の殺処分ゼロはこうした活動の延長上に達成されたものであり、小池知事が〝魔法の杖〟を振るって実現させた奇跡ではない。

では、実際の動物の引き取り収容活動はどのようになされているのか。現場を訪ねてみようと思った。

■「殺処分したい獣医師なんていませんよ」

東京都が目標より一年早くペットの殺処分ゼロにこぎ着けるうえで〝主戦場〟となったのは動物愛護相談センターである。東京都では「動物の保護及び管理に関する法律」（のちの「動物の愛護及び管理に関する法律」）制定の翌一九七四年、世田谷に動物愛護相談センター本所が作られ、その後、日野に多摩支所が、大田区城南島に出張所が作られた。この三つが動物の引き取り・収容に始まり、収容した動物を飼い主に返還したり、譲渡会を実施したりして新たな飼い主と結びつける努力をしてきた。

そんな動物愛護相談センター本所（世田谷区八幡山）を訪ねてみた。近くに公園や清掃工場があり、住宅地からは少し離れた環状八号線沿いの一角に位置する建物は、こぢんまりとしたもので、牧場の厩舎のようなイメージを持って向かうと裏切られる。収容した犬猫を昼間遊ばせるスペースがある以外は、小さな普通の商業ビルといっても通るだろう。

職員の案内で一般犬舎、小型犬舎、猫舎が入っている業務棟の中を見せてもらった。建物の中までクルマで入れるようになっており、逃げ出さないようにシャッターを閉めて動物を車外に出す。鑑札がついていれば一目瞭然だが、その代わりに最近は体内にマイクロチップを埋め込んでいる動物もいるのでリーダーでデータの読み出しを試みる。そして飼い主が分かれば連絡を取って引き取りに来てもらう。しかし、たとえチップが埋め込まれていようとも、登録した時と飼い主が代わっていれば役に立たない。ケージに入れられたまま放置されていたなど明らかに遺棄のケースもある。

職員によれば「七日間は役場に公示し、インターネットの収容動物情報のページに写真を掲載します。昔は飼い主が見つからなければ、収容日から日ごとに動物を入れる区画を移してゆき、最後まで行くと致死処分になっていましたが、今は同じ場所で過ごさせて、できる限り譲渡先を探すようにしています」。

致死処分の言葉が出るとやはり気になる。ここにも炭酸ガスを注入した小部屋の中で夢を見ているように動物を殺す致死処分装置〝ドリームボックス〟が設置されているのか。尋ねると職員は首を横に振った。東京都の場合、炭酸ガスを使う処分装置は城南島出張所のみに設置されているが、今は「年に数頭程度、ごく凶暴で注射を打てない」動物の場合に稼働させるだけである。

一般的には、怪我や病気でもはや助けられない動物を、獣医師が麻酔薬を使って致死処分するという。

譲渡先を模索することで致死処分、殺処分を減らしてきた経緯は先にも書いた。印象的だったのは、とかく注目されがちな殺処分ゼロだけではなく、致死処分も減らそうと努力している姿勢だ。たとえば保護具を提供し、怪我のある動物も飼育してもらえるように努める。加えて殺処分ゼロに貢献したもうひとつの試みがミルクボランティア制度の確立だ。

終生飼養を求める動物愛護管理法の制定後、犬の捕獲収容は減り、猫が多くを占めるようになり、その中でも半分以上が野外で生活している猫同士が交配して生まれた子猫だった。子猫はミルクが飲めるまで成長していれば愛護相談センターでも育てられるが、そうでない場合は、三時間置きの授乳が必要。センターの職員ではとても面倒を見切れず処分せざるをえなかった。そこで離乳前の子猫にミルクを与えるミルクボランティア制度を作った。こちらは個人の登録で、譲渡を引き受けてくれればミルクは行政側が提供する。ミルクボランティアの場合、子猫は飼い続けてもいいが離乳前の時期だけ面倒を見て譲渡してもいい。

こうした様々な努力の組み合わせの結果として殺処分ゼロは実現した。「殺処分したい獣医師なんていませんよ」。自らも獣医師である職員の言葉には力がこもっていた。

■「愛護」派と「福祉」派

では、殺処分ゼロ達成でなお積み残された課題は何なのか。

横浜市で兵藤動物病院を営む兵藤哲夫代表を訪ねてみた。兵藤氏は開高健が「お犬さまの天国」を書いた一九六三年に当時はまだ珍しかった動物病院を横浜市に開設。以来ペット相手の獣医として長い経験を積んできた。メディアでの発言も多いペット界のご意見番である。

「愛護と福祉は違いますよ」。兵藤代表が言う。「愛護というのはお殿様がメジロを飼ったりするのに近い。一方的に人間の感情だけで愛護するもの。一方、福祉という考え方は相手の動物の習性に合わせた面倒の見方をすること」。

兵藤代表の話を聞いていると、どうも福祉派と愛護派の考え方の違いがあるようだ。「たとえば南極にタロ、ジロの二匹を残して越冬隊が帰ってきたでしょ。翌年行ったら生きていたから良かったけど、海外では置いて帰った時点で報道されて虐待だと言われていたんですよ」

狂犬病予防法で野犬を捕獲し、撲殺していた時は欧米から激しい批判を受けた。そこで動物保護管理法を作り、更に動物愛護管理法へと発展させてきたが、そこには勘違いもあったのかもしれない。南極では犬を殺さずに残したことが虐待だと言われる。

「苦痛から遠ざけてあげようというのが福祉の考え方。それに対して愛護は、死ぬまで、呼吸が止まるまで、どんな扱いでも殺してはならないと考えかねない」

ただ、その考え方の違いは、実は本質的ではないのかもしれない。公益財団法人日本動物愛護協会と公益社団法人日本動物福祉協会があり、兵藤氏は両方に通じている。愛情ゆえに安楽死を選べないことを批判するところは福祉派のようではあるが、一方で安易な安楽死を認めるわけでもない。福祉的発想と愛護の精神とを融合し、バランスをとろうとしているようにも見える。

たとえば兵藤動物病院では病院としては珍しく自ら譲渡会を主催し、ペットを次の飼い主につなげてゆく活動に早くから取り組んできた。なぜ献身的に関わったかといえば、兵藤氏自身が誰よりも生命ある動物と一緒の生活を素晴らしいものだと考えているからだ。

「イヌやネコも自然の一部です。自然と一緒に暮らせる生活は豊かですよ。自然は社会的地位云々とは無関係にどんな人間にも恩恵を与えてくれる。イヌやネコも同じで会社でいくら怒られてきても、学校でいくらいじめにあっても、帰ってくれば毎日、同じような態度で迎えてくれる。イチローが引退した時に一弓ってイヌにお礼を言ったんですよ。俺の打率が高いときも低いときも全く同じ態度で自分を迎え入れてくれた。それにどんなに励まされたか、と」

■動物の生命を尊重しつつ付き合ってゆくこと

動物に愛され、動物を愛する生活の素晴らしさを重視する兵藤代表にとって、気になるのは動物と共に暮らすことが困難になっている現状だ。「イヌが高くなっちゃった。三〇万、四〇万円しますからね。もう普通の人には飼えないですよ」。

昔は「うちの犬が子犬を産んだからもらってくれない?」とか、「子供が犬を欲しがるので今度生まれたら一匹ください」等々と近所で譲渡し合う光景が日常的に見られた。今は不妊手術が終生飼養する飼い主の責任のひとつと見なされているし、都会ではもはや野犬は存在せず、家の中で飼う習慣が一般化して飼い犬が子犬を産むこと自体がほとんどありえない。

二〇一七年の衆院選では小池都知事の「排除」発言が「希望の党」の勢いを失速させたが、殺処分ゼロを達成した動物愛護精神溢れるはずの東京都で、犬が一部の富裕層のものになり、つまりここでも庶民の生活の中から「排除」されつつある逆説が生じている。

こうして愛護を求めた意外な結果を見ると、開高健が「お犬さまの天国」(『ずばり東京』)で書いていたことに作家らしい人間洞察の深さを感じるのだ。

犬や猫に温かくて人間には冷たいという人間を何人となく見てきた。犬や猫に向う感情はとどのつまり自分に向けられているのであって、他者には流れてゆかないのではないかと思う。だから、他者との連帯という考えにたつヒューマニズムと動物愛とは関係がないと思うのである。擬人化なしに動物小説を書くのがほとんど不可能だという事実がこの自己愛を説明している。

殺処分をあってはならぬことと思う動物愛護精神の持ち主の中には、思い余って同じ動物を愛する者同士なのに動物愛護相談センターや行政の担当部署に電話等で強く抗議することが多々あるのは、この業界では常識になっている。まさに開高の言うように「犬や猫に温かくて人間には冷たい」。

しかし、先鋭的な動物愛護家は、たとえば豚コレラが発生したので豚舎全体を家畜伝染病予防法に則って殺処分するようなことが起きても反対の声をあげない。おかしな話だ。ペットではなく、家畜であっても生命あるものが寿命半ばで殺されることは可能な限り避けられるべきだし、もし殺さなければならないのであっても生命への慈《いつく》しみや敬意を忘れずに、苦しみを最大限軽くしてやるべきだろう。

動物愛護相談センター本所で（撮影：「論座」編集部・高橋伸児）　提供：朝日新聞社

その意味で福祉と愛護は両立しうるはずなのだが、そうならないのは、開高が書いたように「犬や猫に向う感情はとどのつまり自分に向けられている」から。心の余裕があるときは殺処分される犬猫を哀れに感じてなんとかできないかと抗議の声を盛んにあげるが、感染症が出るとむしろ恐怖心が優って、かつて狂犬病を恐れて野犬の撲殺処分を黙認していたのと同じように動物が置かれた状況や受けている加虐への感情移入をあっさり忘れてしまうからではないか。

たとえば殺処分を描くルポルタージュのほとんどが、収容された動物が「助けてくれ」と自分に語りかけているようだったと表現するのは、擬人化の典型である。自分の思い、自分への愛情を動物に投影して動物の思いを聞き取ったかのように感じているわけだが、それは錯覚だ。動物は人間と同じ言葉を話すわけでもなく、人間と同じ感じ方をするわけでもない。しかし、それでも動物の生命を尊重しつつ付き合ってゆくのが本当の意味での動物との共生だろう。

難しい？　とんでもない。実は人間同士の共生の方が、同じ言葉を話すので簡単なように思えて動物と一緒に暮すよりもよほど難しい。生い立ちやら社会的地位やら理想やらの違いで全く別のことを考えているからだ。そんな困難な共生の作法を学ぶうえでも、動物と本当に共生するためにはどうすればいいのか、練習問題を解くつもりで改めて考えてみるとよいだろう。

9　本はどこにゆくのか

（2020年2月15日、22日掲載）

開高健記念文庫は、芥川賞を受賞した開高一家が一九五八年から住んだ杉並区井草の家の敷地に建っている。

その後、茅ヶ崎の家が七四年に建てられる。当初、そちらは創作活動のために使う別宅とするつもりだったようだが、通学に便利だという理由でまず娘の道子が、ついで妻の牧羊子も茅ヶ崎暮らしとなって、そちらが本宅になってしまった。

しかし、その後も井草の家は処分されず、住民票も残されていたという。八九年に開高が、二〇〇〇年に牧羊子が亡くなった後、（道子も九四年に亡くなっていたので）井草の家は親族が相続したが、二〇一七年に、開高の著作や寄稿やインタビュー記事が掲載された雑誌を集めて閲覧させる「記念文庫」として公開されることになった。

そこを訪ねてみたいと思ったのは開高の蔵書が気になっていたからだ。開高作品といえば古今東西の書籍からの鮮やかにして奔放な引用が印象的である。その該博な知識はどのような読書経験で育まれたのだろうか。

読書についてエッセーの中で開高はこう書いている。

子供の頃のことをふりかえってみると、腺病質《せんびょうしつ》でなくなったとか、偏食癖がなくなったとか、どこでも寝られるようになったとか、夜なかに一人でトイレへいけるようになったとか、いろいろな変化が数えられるのだが、いっこうにあらたまらないこともまたいくつかある。そのうちの一つが読書癖である。本で夜ふかしをする癖は昔も今もまったく変わることがないし、枕もとに何か本が一冊以上ないことには不安でならないのもまったくおなじである。家にいるときもそうだし、旅館にいるときもそうである。東京にいるときもそうだし、外国にいるときもそうである。一昨年、一五〇日ほどサイゴンで暮したときは、読みものがなくなることを恐れて小倉百人一首を持っていったが、深夜に一枚一枚カードを繰って読んでいると、懐しさにしばしば胸をつかれて茫然となった。

（「続・読む」『白いページ――開高健エッセイ選集』光文社文庫）

記念文庫に運ばれたのは茅ヶ崎の家に残された本のうち、ある程度整理できた中の三割程度だという。蒐集の趣味がなく、気前よく私物を人にあげていたらしい開高の蔵書はその傾向を見て創作の秘密が一目瞭然となる性格のものではない。それでも「あ、これがあそこを書くときのネタ元か」と分かる作品もあって、文庫のなかで時が経つのを忘れていた。

帰り道、最寄りの井荻駅の方向に歩いてみる。記念館は今でこそ緑豊かな井草森公園が至近にあるが、開高一家が住んでいた頃は違っていた。一九八〇年につくば学園都市に移転するまでは通商産業省機械技術研究所があり、その跡地が公園と不燃ゴミ収集の中継施設となったが、周辺住民が喉の痛みを訴える、いわゆる「杉並病」問題が発生してゴミ施設は二〇〇九年に廃止されている。駅まで行くには西武線の踏切に遮られて慢性渋滞状態だった環状八号線を横断する必要があったが、ゴミ施設がなくなったのと相前後して道は地下化され、このあたりの風景は大きく変化した。

■開高健ゆかりの地の書店も消えた

実は約一年前にも井荻駅で降りたことがあり、その時、取材相手の指定した約束の時間まで駅前の書店に入って本の表紙や背を眺めていた。郊外の駅前にある書店はどこもそうだが、決して大きな店構えではなかったし、最近の書店によくあるように文具の売り上げで経営を支えているようではあったが、それでも人文書なども ある程度置いてあり、店主のこだわりを感じた。

開高の蔵書の一端を見た後に、改めてその書店をのぞいてみようとしたのは、品揃えに文士の住んだ地元の書店ならではの気配りがないか、探してみたいと思ったからだ。

ところが、あったはずの場所に店が見当たらない。

場所を間違えているのかとずいぶん歩き回ってみたが埒が明かない。狐につままれたような気分になってネット検索してみたら「井荻書店2019年1月20日閉店」の書き込みを見つけた。三八年の歴史だったというから、既に茅ヶ崎に拠点を移していた開高や家族はおそらく利用したことはなかったろうと思われるが、それでも決して短い営業期間ではない。そんな書店の消失を開高健記念文庫訪問の帰り道に目の当たりにし、開高が活躍していた頃から今に至るまでに変化したのが風景だけでなく、書籍の世界でもあったことを改めて思った。

高度成長は経済だけでなく、書籍の世界を大きく育てた。六〇年に一人あたりの国民所得は一四万四〇〇〇円だった。それが七〇年には五四万四〇〇〇円になっている。増加率は約三・八倍だ。同じ時期に国民一人あたりの書籍消費額は五二二円から二一二二円に増え、こちらの増加率も約四倍となる。ちなみにこの一〇年間のちょうど真ん中の六五年に女性の読書率が男性を追い抜いている（清水英夫『現代出版学』竹内書店）。

その後も書籍の売り上げは増え続ける。バブル経済の崩壊後も増えて、増えて、増えて……、九六年には一兆九三一億円にまで達した。しかし、それがピークで以後、減り始める。今度は減って、減って、減って……、二〇一八年には約六九〇〇億円にまで縮んでしまった。日経平均株価はバブル崩壊やリーマンショックを挟んで激しく上下動してきたが、こちらは減り始めたら歯止めが効かなくなっている印象だ。

市場規模が約三分の二になってしまったので書店が消えるのも必然のように思えるが、そんな因果関係に囚われているだけだと見逃してしまうものがある。書店数が減っているのは確かだが、同時に世代交代も起きているのだ。

■代官山蔦屋書店の原点回帰

新しい書店の源流のひとつを訪ねてみた。

東急東横線・代官山駅から洒落た店の連なるエリアを六分ほど歩くとイスラム寺院のモザイク作りのような白い建物が見えてくる。そこが代官山**T-SITE**。カルチュア・コンビニエンス・クラブ（CCC）が直営する複合施設であり、近寄ってみれば白いタイル風の装飾は同社が展開するTポイントカードと同じTの意匠なのだ。

この場所には古くは水戸徳川家の屋敷があり、最近までノースウエスト航空の社宅があった。合計約一万三〇〇〇平米に及ぶその広大な跡地の、旧山手通りに面した場所に二階部分で繋がる三棟の建物が川の字に配置される。そこに書籍、映画、音楽を扱う蔦屋書店とスターバックスコーヒーが入る。道路から奥の側はカフェバーダイニングや自転車店などが入り、全てを総称して代官山**T-SITE**と呼ばれる。

「代官山**T-SITE**は、私たちがプレミアエイジと呼んでいた五〇歳代以上の大人に向けたライフスタイルの提案でした」

ホテルのロビーラウンジのような書店中央棟二階のカフェスペース**Anjin**で取材に応じた**T-SITE**館長の田島直行氏が説明する。

それは新しい試みであるのと同時に原点回帰でもあった。「代官山 蔦屋書店」は、CCCの現CEO（最高経営責任者）である増田宗昭が勤務していた鈴屋から脱サラして一九八三年に京阪電鉄枚方駅前に開店させた書籍とビデオとレコードの販売やレンタルを行う蔦屋書店をルーツとする。この初代蔦屋書店の〝マルチ・パッケージ・ストア〟スタイルは評判となり、増田は同形態の店をTSUTAYAのブランド名でフランチャイズ店としてネットワーク化することを決意する。そして八五年に統括本部となるカルチュア・コンビニエンス・クラブを設立した。

こうして全国に展開したTSUTAYAで新しいCDをチェックしてレンタルする。見逃していた映画がDVDになるのを待って借りて観る——。TSUTAYA通いは当時の若者の生活の一部分になった。一号店開店時に筆者は二五歳の大学院生だったが、ぎりぎり若者の上限にいたので東京にも出店したTSUTAYAにはよく通っていた。しかし、やがて後輩の若者たちが新しい顧客になり、TSUTAYA側も彼らの好む音楽や映画を重点的に揃えるようになると、筆者のような元・若者は店を訪ねても心惹かれるものが少なくなってゆく。

筆者が一抹の寂しさを感じていた時に増田はそこに経営の危機を見ていた。

基本的にTSUTAYAのビジネスモデルは創業以来現在まで、20代・30代の人々をターゲットに組み立てられている。しかし日本の社会にあって、これから若者人口は次第に減少してゆく。現在の会員構成のままで客層が変化しなければ、毎年TSUTAYAのレンタルの売上は1%ずつ減少してゆくと私は試算している。逆に50代・60代・70代の会員比率を上げることができれば年率ふたケタ成長が可能であるとも、同じ試算が教えてくれている。これまでの成功モデルにしがみついていては事業が隘路に入り込んでしまうことは、人口動態のグラフを前にすれば一目瞭然。ヴォリュームゾーンに合わせて事業の中心をシフトさせるのは、当然のことだろう。

（増田宗昭『代官山オトナTSUTAYA計画』）

複合施設「代官山T-SITE」にある蔦屋書店（撮影：筆者）

そして二〇一一年一二月、代官山T-SITEの開業に至る。

TSUTAYAの一号店ができたときに店を訪ねてくれた25歳の青年は代官山プロジェクトが完成するときには53歳。そこでまた新しい何かを探し、発見してくれればと思う。そのための場を用意するのが、代官山プロジェクトの本当の目的だ。

（同書）

想定年齢がぴったりだったので、まるで増田から御指名を受けたような気持ちになって、五三歳になっていた筆者はオープンしたばかりの時期に代官山T-SITEを訪ねたことがある。「代官山蔦屋書店」も初代同様〝マルチ・パッケージ・ストア〟ではあるが、特に書店の充実に眼を見張らされた。新刊時に買い逃していた本と再会したり、こんな本が出ていたのかと驚かされたりする確率は、他の書店よりも明らかに高く、驚いた記憶がある。

■「とんでもなく非効率的」な棚作り

今回、その棚作りの秘密を教えてもらった。新書や文庫といった判型ごとに書棚を分けるのではなく、ジャンルごとに本を揃えて並べるスタイルは二〇〇三年オープンの「TSUTAYA TOKYO ROPPONGI」で始められたものだが、「代官山 蔦屋書店」では「人文・文学」「アート」「建築・デザイン」「クルマ」「料理」「旅行」の6ジャンルごとに「コンシェルジュ」と呼ばれる専門の書店員三〇人が選書し、新刊和書に限らず、旧著、洋書も含めて毎日、注文を出して本を取り寄せて書棚を作っているのだという。

「とんでもなく非効率的です」と田島氏が苦笑するが、先に開高健記念文庫を訪ねていた筆者は不思議な感覚を覚えていた。牧羊子はともかく本人は「クルマ」には興味を持たなかったようだが、それ以外の「人文・文学」「アート」「建築・デザイン」「料理」「旅行」ジャンルに関しては開高の守備範囲だ。もし開高が生きていれば彼の書庫はこんなものになっていたのではないか

――。そう思わせるほど面白げな本を選び抜いた書棚だという印象がある。豊かな好奇心の持ち主が本を買い揃え、テーマのつながりで並べてゆけばこうなるだろうという〝風景〟を表紙や背表紙が形成している。ちなみにマルチ・パッケージ・ストアとして全国にフランチャイズ展開するにあたってCCCは書籍取次の「日販」と一緒に本だけでなくCDやDVDまでの全商品を扱う合弁会社を作っており、柔軟な対応ができる体制が用意されていたことが、こうした代官山店の書棚作りも支えている。

「代官山 蔦屋書店」の店内　提供：朝日新聞社

　そしてスターバックスが併設されて、コーヒーを飲みながら書籍や雑誌をじっくり品定めすることができる「BOOK&CAFE」スタイルも「TSUTAYA TOKYO ROPPONGI」で始められていたものだ。

「書店は利幅が少ない業態なのですが、ブックカフェなのでコーヒーの売り上げが加わるし、実は本の売り上げも増えます。買ってもらえなくなるからと立ち読みを禁じる書店がありますが、実は逆で、触って、開いて読んでもらったほうがよく売れる。コーヒーをこぼしてしまうなどトラブルはもちろんあって、それは損金処理しますが、そのリスクを取ってもなお売り上げが出ます」

ネット時代の書店という点を田島氏は強調した。「スマホで見られる情報なら今や本のかたちでそれを持つ必要はない。しかし、じっくり本を見て、これを持って帰りたいと思えば買ってくれます。そう思ってもらえるだろう本を選んでいるので、カフェとの相乗効果も得られると考えています」。

実際、久しぶりに訪ねてみると、かつての「プレミアエイジ向け」というコンセプトはいい意味で裏切られたのではないかと感じた。筆者と同じような年代はもちろんだが、客層はより広角になっており、老若男女がスターバックスで本や雑誌片手にまったりと過ごしている。

こうした書店の風景は、しかし、一朝一夕に実現したものではない。書籍市場が拡大基調にあった時期には、多く売れる本を全国津々浦々の書店まで効率的に流通させることが重視されるようになり、印刷部数ごとにどのように配本するかをあらかじめ定めたパターン配本が基本となっていた。書店側は売りたい本を自ら選ばず、新刊委託制度を利用し、取次から届けられる新刊書を毎日平台に並べる仕事を続けるようになった。

「代官山 蔦屋書店」はそんな書店史を自動更新しなかった。それが新しい書籍販売のスタイルを確立させる画期となった。こうした動きの一方で本の読み方についても革命が起きていた。

■「一人で読む」から「共に読む」へ

ある日曜午後。まだ夕食には早い時間だったが、東京・銀座のカフェに続々と人が集まってきた。一見、貸し切りのパーティでも開かれるのかと思うが、受付を済ませた人は三つのテーブルに分かれて座り、おもむろにカバンから同じ新書を取り出す――。

そこで開かれていたのは「猫町倶楽部」の「フィロソフィア東京」と称する読書会だった。猫町倶楽部は発祥地である名古屋のほか東京や大阪などで年間二〇〇回の読書会を主催・運営し、のべ約九〇〇〇人が参加する日本最大の読書会コミュニティだ。その日の課題本は大澤真幸『社会学史』（講談社現代新書）で、カフェに集まった三〇人ほどがテーブルごとに本を片手に感想を語り始めていた。

「最初からこうしたスタイルでやろうとしていたわけではないんですよ」

猫町倶楽部主催者の山本多津也氏が言う。リフォーム会社の跡継ぎだった山本氏は経営者になりたての頃、有名コンサルタントなどが話をする経営者セミナーに足繁く通っていた。だが「出かけていって偉い人の話を聞くだけで帰るだけなのはいかにも味気ない、勉強する意欲の高い人と話し合う場があるといいとだんだん思うようになった」。

で、どうするか。セミナーの講師になるような人であれば必ず著書がある。ならばセミナーに行くよりもメンバーで著書を一緒に読んでみたらどうか。そう考えて二〇〇六年の九月に最初の読書会を開催した。IT企業に勤めていた大学時代からの友人と、同じリフォーム業界で働く二人の計四人が集まった。課題本はビジネス書の王道中の王道であるカーネギー『人を動かす』だった。

二時間かけてじっくり本の感想を語り合うと高揚感と充実感が残った。自分の考えを客観視できたし、他の人の読み方に意外な発見もあった。そこで「アウトプット勉強会」と称して読書会の開催を毎月続けると、口コミで参加者が増え、半年後には平均一〇～一五人が集まるようになっていた。

「その頃、SNSがこれから重要になると言われていました。そこで当時活発だったミクシィを使ってみようかと思いつき、ほとんど意味がわからないまま読書会のコミュニティを立ち上げたら二〇代の若者がどんどんはいってきてびっくりした」

会員数は約二年で一〇〇〇人を突破。中日新聞の夕刊に「若者熱く読書会」と記事で取り上げられたことも追い風となった。会員が増えたので「アウトプット勉強会」とは別に「文学サロン月曜会」という分科会も立ち上げた。二〇〇九年には読書会メンバーが東京に転勤になったのをきっかけに東京でも読書会を開催するようになった。

この頃になるとコミュニティは多様な参加者が集まる場になり、ビジネスや文学といったジャンルの垣根なしの読書会を展開してゆくにはそれにふさわしい名前が必要だと山本さんは思ったという。

そこで名古屋文学サロン月曜会で会場を借りていた「JAZZ茶房　青猫」と、山本さんが好きだった萩原朔太郎の小説『猫町』にちなんでコミュニティ全体の名称を「猫町倶楽部」とした。

この新しい名前の下で映画の感想を語り合う「シネマテーブル」、大人の性愛をテーマとした「猫町アンダーグラウンド」、哲学書メインの「フィロソフィア」の分科会が生まれ、開催拠点も新たに大阪、金沢、福岡が加わった。今や月に一五〜一六回、年間約二〇〇回、どこかで何かの会が開催されている。

■本への内向と出版市場のバブル崩壊

「本は一人で読むのがメインの読み方だが、読書会はもう一つの読み方なのだと思いますよ。読書会で感想を言い合って何が面白いの?と不思議に思われることがありますが、体験してみればわかる。みんなで読んで話し合うと、一人で読むときの読書とは次元の違うことが起きます。他の人が全く違う読み方をしていると、そういう読み方もあるとわかって一人では到達できないところにまでゆける」

それは読書会というリアルな対面のコミュニケーションの中でしか起きない化学反応なのだと山本氏は言う。

そんな話を聞いていろいろと得心がゆくことがあった。

たとえばネット社会では「フィルターバブル」という言葉がよく使われる。検索サイトやソーシャルメディアがユーザーの傾向や嗜好を人工知能技術を使って学習してゆき、ユーザーが見たくないだろう情報を自動的に遮断《フィルタリング》するようになる。その結果、まるで「泡《バブル》」の中に包まれたよ

全国各地で年間200回開かれる「猫町倶楽部」の読書会［名古屋市名東区藤が丘］ 提供：朝日新聞社

うに、自分が見たい情報しか見えなくなる。

しかし、それはネットだけのことなのだろうか。

山本氏が出版した新刊書『読書会入門――人が本で交わる場所』（幻冬舎新書）の中に「猫町倶楽部史上最大の事件」として、ネトウヨとして活動している男性の参加に始まる騒動が紹介されている。ネトウヨもフィルターバブルが生み出した視野狭窄の例と言われがちだが、その男性は並外れた読書家だった。席につくなり、課題本以外に一〇冊以上の本をテーブルに並べる。そして読書会が始まるとマシンガンのような勢いで自説をまくし立てるのだという。

実は本もまたそこに描かれた世界への内向をもたらす。自分の好みの著者や特定ジャンルの本を脇目も振らずに買い続け、読み続けていればネトウヨを養成することもあるのだ。ネット時代の本のあり方を論じる時、両者を対立させることが多いが、対立点を探すだけだと本質を見失うこともある。本の文化とネットのそれとは似ている面があるし、両者が重なる部分で起きることも視野に入れておくべきだろう。

実は出版市場がバブルを肥大させたかと思えばあっけなく崩壊させたのも、本への内向が導いた面があったのではないか。

出版市場が成長を続けていた一九七〇年に結成された日本出版学会が発行した最初の紀要『出版研究』で、フランス文学者の中島健蔵がこんなことを書いていた。

出版の場合には、いつも複数の読者を想定し、原稿を複製して社会化するという仕事を第一の前提とする。それにもかかわらず、出版の仕事は、読書の仲介であって、一対一の関係が基礎となる。

（「出版学の体系化序説」）

印刷機で大量に刷られる書籍はもちろんマスメディアのひとつだ。しかし読者は自分の関心に応じて書籍を手にし、自分の生活時間の中でそれを読む。マスメディアでありながら本は個人性が強い。しかし、高度成長期以後、出版市場は大きく育ち、書き手、読み手、それぞれの個人を強く意識した本の作り方、売り方からいつしか離れていった。出版社はベストセラーを狙って本を作り、流通は新刊書中心に軸足を移し、書店で出会える本は「新しい」「売れている」本ばかりになってゆく。

本好きはこうした流れに苦言を呈しはしたが、出版業界に勤めている場合であっても改革に本格的に踏み出そうとしなかった。本の世界に通じた彼らは古書店や図書館を上手に使えたし、ネット書店が登場してからはそれも駆使して自分の読みたい本にアプローチできたから個人的には困っていなかったのだ。そして自分と本の関係に内向して、自分の好きな本と出会えない人々の気持ちが理解できなかった事情もあったはずだ。そうして改革への不作為の中で書籍市場のバブル化の流れはとどまることを知らずに、ついに臨界点を超えて弾け飛んだ。

■フィルターバブルの外へ連れ出す

本と一対一の関係を結びながら、本の中に自閉しないためにどうすればよかったか。ひとつには開高健がやってみせた方法がある。開高の人生は読書と旅によってあざなわれた縄のようなものだった。なにしろ「一五〇日ほどサイゴンで暮したときは、読みものがなくなることを恐れて小倉百人一首を持っていった」ほどの猛者である。旅の中で、あるいは旅の後に読まれることで本はまた別の表情を示し、読者をひとつのフィルターバブルの中にとどめておかないだろう。

そして他の人と共に本を読むという方法も有効だ。読書会もまた読み手をフィルターバブルの外に連れ出す装置なのだ。先に言及したネトウヨ男のエピソードの続きを紹介すれば、読書会の場でこそ発言を控えていたが、彼がネット上でヘイト的な発言をしていることは他の参加者の間でも知られるようになり、読書会で一緒になりたくないという声が山本氏に届くようになった。氏は対応に大いに悩んだが、結局、その男性を除名しないと決めたという。

私達は誰もが多面的にできています。その中には大なり小なり、簡単には社会や他人と折り合いがつけられないもの、他人に受け入れられないものもあるでしょう。それを隠し通すことができれば受け入れられ、知られてしまえば排除される。これで本当に安心できるでしょうか。どんな考えを持っている人も、ここにいたいと思い、このコミュニティ環境を維持したいと願う一員である限りは、決して排除されることはない。そんな安心感こそ、猫町倶楽部の育ててきた文化であり、簡単に失ってはいけないものだと考えたのです。

（『読書会入門』）

しかし読書会への参加を重ねるうちに、威嚇的にうず高く並べられた本のバリケードはなくなり、他の人と話ができるようになった男性は〝お調子者〞キャラとして読書会の中で愛される存在にまでなったという。こうした変化は、他の人と一緒に本を読む経験を通じていろいろな考え方をする人がいることが自然に感じられるようになった読書会の効用だったのではないか。本を挟む一対一の関係が多様にありうることを目の当たりにする経験が共生の技術を育むのだ。

■ネット時代に始まる本の新しい歴史

蔦屋書店が成し遂げたことも、フィルターバブルを生み出す呪縛から本を救い出すという観点から評価できる。たとえば六本木にカルチュア・コンビニエンス・クラブ（ＣＣＣ）が新しく建てた「TSUTAYA TOKYO ROPPONGI」（三月七日に「六本木 蔦屋書店」としてリニューアルオープン）で最初に採り入れたジャンル別配架法は、TSUTAYAが指定管理者として運営をまかされた公共図書館でも採用された。長く使われ、慣れ親しんできた従来の図書館の十進法分類とは違う、探しにくいということで批判も呼んだが、書籍との多様な出会いをそれが実現したことは間違いない。

書店や図書館の本の配架方法がよくわかっている本好きが検索の仕方にも通じていれば、自力で本を探せるが、それは読みたい本だけを読み続けることにもなりかねない。そうではなく、気の赴くままジャンル別に本を揃えた書棚の前に赴き、こんな本があるのかと感心しつつそれを手に取る。こうして見えない天使の力のような偶然に助けられつつ、後になってみればこれこそ自分に読まれるべき本だったという必然性を感じる一冊と出会う。それこそ本との一対一の関係を築きつつ、本を通じて自分の世界を広げてゆくことになるのではないか。

「代官山 蔦屋書店」の開店後、本との出会いの場を多様に用意する流れにCCC以外も与《くみ》するようになった。ブックカフェはあちこちに増えたし、たとえばCCCが図書館に新刊を売る機能を併設したのとは逆に、書店に図書館的な性格をもたせ、入場料を支払って書店に入り、店内で本を読むもよし、気に入れば買うこともできる六本木の「文喫《ぶんきつ》」のような新業態も登場した。

ちなみに出版科学研究所によると二〇一九年一～一二月の出版市場は紙と電子を合わせると〇・二％増の成長に転じた。一九九六年以来長い低落傾向に沈んで明るい話題が途絶えていた出版界にとって久しぶりの朗報だったが、もちろん視力検査の結果のようなわずかな数字でしかないし、もっぱら電子書籍（特にコミック）市場の拡大によるもので従来の紙の本は相変わらず厳しい。

とはいえ今後、出版社が一息つけて、目先の売り上げ欲しさに悪魔に魂を売って劣悪なヘイト本をラインアップするような動きに歯止めがかかれば、昔ながらの本好きの読者が戻ってきたり、新しい本好きを育てたりすることも可能になるだろう。そうした読者たちのための環境整備も進んでおり、ネットの時代にもう一度、本は新しい歴史を刻もうとしているといえるのではないか。

10 超高齢化社会の葬式

（2020年5月2日、11日掲載）

日本社会は〝半減期〟が長い社会になった。

半減期とは、たとえば放射性物質の量が半分になるまでの期間だ。東日本大震災の時に、誰もが痛みを伴いつつ覚えた語彙のひとつだろう。福島第一原発の事故でセシウム137という放射性物質が大量に放出された時、専門家はその半減期が約三〇・一年だと述べていた。それは三〇・一年のうちに約半分のセシウム137がβ《ベータ》線（電子線）を放射して、放射線を出さないバリウム137に変わるという意味だった。

その時、約三〇年で半分になるのならまだマシだと思った人もいたかもしれない。なにしろ原爆の材料になるプルトニウム239だと半減期が二万四〇〇〇年にもなるという。それに比べれば、と考えてしまうからだ。

だが、原子単体で考えると、どちらがよかったかわからなくなる。プルトニウム原子は二万四〇〇〇年の間にα《アルファ》線という放射線を出す確率が五〇％、つまり放射線を出すか出さないかは半々なのだと気づいてみると、こちらの方が近くにいて放射線を浴びる確率は少ないと思うこともあるだろう。実際には微量のプルトニウムであっても原子の数は大量で、その中には二万年どころかすぐに放射線を出してしまうものも確率的に存在しえるし、放出されるのはα線といって、遮蔽は容易だが直接体内に入るとセシウムの出すβ線（電子線）よりも深刻な影響を発生させる放射線なので、プルトニウムは厳重に管理する必要がある。

この半減期の知識を踏まえて、悪趣味なのは覚悟のうえで人間の人生を考えてみる。

■人間の〝半減期〟が長い社会

日本で六五歳以上の高齢者の人口は、二〇一九年九月一五日現在で三五八八万人となり、高齢者人口が総人口に占める「高齢化率」は二八・四％となった。もちろん日本史上最高である。石を投げれば高齢者に当たるというのは誇張でもなんでもなくなった。

これだけ高齢者が多ければ三途の川を渡って旅立たれる人も多くなる。東京都の死亡者数は六〇年代には五万人だったが今は一一万人に達している。

しかし、その一方で自分の親や親戚など、身近な人が死んでゆく経験をする人はそう多くない。なぜか。

厚生労働省が二〇一九年七月三〇日に発表したまとめによれば、二〇一八年の日本人の平均寿命は女性が八七・三二歳、男性が八一・二五歳で、ともに過去最高を更新した。平均寿命が伸びている社会では人口の減少が緩やかになり、半分になるまで時間がかかる。つまり高齢化社会とは人間の半減期の長い社会なのだ。

不謹慎な喩えだが、死という、いつ訪れるかわからない確率的現象を理解する上でこのアナロジーは案外役に立つようにも感じる。

もちろん、いくら平均寿命が伸びても長寿には限度があり、ある年齢以上になると死亡率は高くなるので、高齢化社会では亡くなる方の総数は多くなる。しかし、原子単体を考えるように、もっと小さな単位、たとえば家の中で、この数年間で家族が亡くなる経験をする人がどの程度いるかといえば、平均寿命が伸びた分、そう多くはならない。九〇歳を超えて祖父が大往生を遂げたという家族は、それまで長く死者と触れずに来たはずだ。〝半減期が長い〟社会で、人生の終焉に身近に立ち会う機会はむしろ減る。

■「エンディング」ビジネスの新傾向

高齢化が進む社会では、死に満ち溢れているかのような印象が強くなるが、個々の死は遠ざかる。これが長寿高齢化社会の死生の実情だ。この遠近のアンバランス、実感と実数の乖離が様々な悲喜こもごもを発生させている。それが現在の日本社会なのである。

たとえば――、二〇一九年八月後半の某日、有明の東京ビッグサイトを訪ねた。コミケに行ったのでも、モーターショーを見に行ったのでもない。二〇二〇年の五輪競技会場も多く用意される予定の東京湾岸の国際展示場でそのとき開催されていたのは「エンディング産業展」だった。

「エンディング産業展」で［2019年8月、東京ビッグサイト］
（撮影：大野洋介）

全日本冠婚葬祭互助協会、東京都仏教連合会、全国仏壇仏具振興会、全国霊柩自動車協会等々が後援し、エンディング＝おしまいに関するビジネスを展開している企業が一堂に集まるのだ。

紹介サイトなどに使われている「開催背景」の文章はこのように謳われている。

> 超高齢化社会を迎え、２００３年に死亡者数が１００万人を突破して以来、年々死亡者数は増加してきています。東京オリンピックを迎える２０２０年には１４３万人に増加することが予想され、葬儀や埋葬、その関連する業界や産業は年々拡大しています。
>
> 多死時代と多くのマスコミなどで語られ、『終活』という言葉も一般化している現代において、『死』をタブー視してきた日本人の死生観も変化しており、葬儀や埋葬・供養の在り方も大きな変化の時を迎えています。

確かに変化は実感できた。たとえば従来からの葬儀関係企業ではない、フィリップモリスやフランスベッド、ヤマハミュージックなどなど、むしろ葬儀と縁もゆかりもなさそうな企業が、高齢社会化に商機を求めて、自分たちの得意とするビジネス領域と葬儀関連の接点を模索しつつ出展している。卒塔婆をデータから直接印刷するとか、墓地をCAD（コンピューター支援設計）で設計するとか、ITの利用も進み、墓石を人件費の安い中国で製作するなど国際協業も活発なようだ。

■高齢化社会の死生観

こうして死に接近するビジネスの動きがあるが、一方で死から遠ざかる社会の動きもある。エンディング産業展見学から少し経った頃、宗教学者の島田裕巳氏に話を聞いてみた。島田氏は二〇一〇年に『葬式は、要らない』（幻冬舎新書）を著して葬儀業界に大きな衝撃を与えた。遺体を放置すると腐敗し、伝染病の原因となりかねないことから葬儀を共同体が必要としていた古来の村落共同体が、都市への人口移動の動きを前に崩壊してゆく事情を書いた後に氏はこう続ける。

共同体の行事としての葬式の意味は変わった。死はあくまで個人のものとなり、共同体のものではなくなった。そうなれば、葬式の必要性は薄れていく。

葬式無用の流れは、もっぱら葬式を担うことでその存在意義を示してきた仏教、いわゆる「葬式仏教」を衰退させることにもつながっていく。葬式仏教の成立は、近世のはじめ、今から400年ほど前のことだが、その基盤が崩れつつある。

しばらくのあいだは、人口構成の関係で死者の数が増えていく時代が続く。そのために、急速にその事態が顕在化していくことはないかもしれないが、死者の数が減少するような時代になれば、一気に事態は変わるかもしれない。

葬式仏教が衰退し、葬式を無用なものにする動きが強まっていく。それは歴史の必然であり、その流れを押しとどめることは難しい。すでに私たちのこころのなかには、葬式など要らない、葬式仏教など必要ではないという気持ちが生まれている。

著述活動だけでなく、死が個人のものになる時代に合わせた葬儀の仕方を模索する「葬送の自由をすすめる会」の会長職について活動もしてきた島田氏は「この件についてはもう勝負はついたと思う」と言う。

「死生観AとBがあるとしますね。Aは平均寿命が短い社会の死生観、Bはその逆。たとえば日本も第二次世界大戦のときは平均寿命が三〇～四〇歳代でしょう。まさに死生観Aの社会だった。それが高度経済成長期以降、寿命は伸びて今は八〇歳代になっている。平均寿命が四〇歳の社会では身近に死ぬ人が必ずいる。乳幼児の死亡率も高かったし、結核とか戦争があって、今、生きている誰もがいつ死んでもおかしくない。だからいまのうちやることはやっておこうと皆考えていた。それが死生観Ｂの社会に変わる。平成の始まり頃には一〇〇歳超えが三〇〇〇人ぐらいだったのが今は七万人ぐらいに飛躍的に増えている」

冒頭に、半減期の概念を応用して個人が死に出会う確率が減っていることを示したが、島田さんはそうした高齢化社会の実情が死のリアリティを失わせると指摘する。

そして死亡年齢の高齢化は葬儀形式の変化をも必然的に招く。

「九〇歳で死ぬと葬式に呼ぶ人もいない。家族のみで葬式を行う家族葬や遺体の搬送、安置、火葬だけを行い、通夜、告別式、初七日法要などをしない直葬にならざるをえない」

長寿社会だから、かつての会社の同僚の中に生存者もいるかもしれない。しかし、さすがに九〇歳になった知人たちが葬儀に参集するのは難しいだろう。会社を辞めて時間が経っているので本人同士が連絡を取れていたかもあやしく、ましてや遺族が故人の知人の連絡先を確保しているとは考えにくい。つまり葬儀に関係者を呼ぶに呼べない。結果的に家族だけのこぢんまりした葬儀になるか、葬儀をしないかという選択になる。もはや「葬式は、要らない」と主体的に選択するのではなく、「（立派な）葬式は、出せない」。それが現実となりつつあるのだ。

「死生観Ａが死生観Ｂに変わると、もう元には戻らない」と島田氏は言う。まさに勝負は既についた、ということか。

■機械式納骨堂が人気な理由

開高健も葬儀について書いたことがあった。『ずばり東京』の中に「〃死の儀式〃の裏側」と題した章があり、アメリカの葬儀屋が日本に上陸し、生きているうちから葬式の月賦販売を始めた話から書き始めている。新規参入に熱心なのは、夏のエンディング産業展に出展していた企業と変わらないが、迎え撃つ側の状況は大きく変わった。

外資の参入を恐るるにたらんと鼻で嗤《わら》う日本の葬儀屋組合の談話を紹介した後に開高はこう書いている。

日本人には香奠《こうでん》という習慣があるので、たいていの家は額こそ違え、葬式の現金にキリキリ舞するということがないから、なにも生きてるうちに棺桶を買うまでのことはない。またわが国の死者にたいする篤実な心の習慣はそういうことをゲンクソのわるいことだと拒みたい反応を起す。また、ラジオだ、洗濯機だ、ハイファイだ、ナンだ、カンだと、みんな月賦に追いたおされていて、とても棺桶がわりこむ余地はないようであるという。

確かにこの時に鳴り物入りで登場した外資系月賦葬儀社は今や影も形もなくなった。日本伝統の葬儀の壁は厚かったということか。しかし歴史に守られて盤石と思われた〃民族系〃葬儀社も今や危機に瀕している。葬儀を行う場合も、参加者が減ってしまって香奠に頼れない。地方出身者は出身地に血縁者が誰も残っていないので都内に新しく墓を持とうと思っても地価を反映して高価で手が出ない。そこで葬儀に関わる側、墓を持つ側の双方から機械式の納骨堂に期待が寄せられる。

今回、記事を書くためにそのひとつを見学させてもらった。スマホで地図を見ながら探して歩いていたが、分譲を開始したばかりの新築マンションかと思って一度通り過ぎてしまった。一階は、それほど寺社らしさをまったく感じさせない、新築の温泉旅館のエントランスのような清潔感あふれる白木作りのロビーで、奥に墓参エリアに昇るエレベーターが用意されていた。

墓参階で降りると、他の墓参者が使っていない墓参室＝ひとつずつ区切られたお参りスペースをタッチパネルで選び、ＩＣチップ入りの参拝カードをカードリーダーにかざす。墓参スペースで待っていると、正面の小さなドア＝参拝口が開いて中から小さな墓石と厨子《ずし》が現れる。ＩＣカードと連動して位牌の入った厨子がクレーンで参拝ブースまで運ばれる。花と香は用意されているのでＩＣカードだけあれば墓参できる気軽さが特徴だ。

防火対策上、火の使用は制限されるが、電熱器の上に香を載せることで焼香はできるし（遠慮がちにほわっと煙があがる）、希望すれば参拝口横の画面に遺影や動画、戒名などを表示することも可能だ。

寺のコンサルタントを営む（株）寺院デザインの薄井秀夫代表取締役にこうした納骨堂について話を聞いてみた。

「高度経済成長と檀家制度は面白い関係にあって、この時期に地域コミュニティの力が弱まり、地元の寺から離れて生活する人も増えた。結果的に檀家制度の維持が困難になり、寺の経営が難しくなり始めたのがその時期からなのは間違いないが、変化が表面化するまでに少し時間がかかった。それは当時の日本人が裕福だったからですよ。出身地に墓を残していたし、寺が檀家に寄付を募っても裕福だったので言うことを聞いていた。ただ、それは信仰心ではなくて、子供の頃に村で育っているので地元の檀家制が理解できたから。しかし一代過ぎて、檀家同士のつきあいがなかったり、東京で生まれた世代になるとそうした檀家制の実感がないし、自由に使えるお金も減ってきた」

そこで八〇万円ぐらいで買える機械式の納骨堂が魅力的に感じられる（実際、先に見学した納骨堂は標準タイプがその価格帯に納まっていた）。

こうしたニーズに応えられる納骨堂ビジネスは、エンディング産業の成長株と期待されて異業種からの参入も多い。開高の時代とは違う取り組みだが、外資の金融業も出資しているという。

■クリックひとつで僧侶を派遣

機械式納骨堂がハードウェアの葬儀革命なのに対してソフトの革新の受け皿が永代供養墓である。

「平成元（一九八九）年にすがも平和霊苑がもやいの碑、新潟の妙光寺が安穏廟をそれぞれ別々に始めましたが、申し込みが殺到して他のお寺もだんだん永代供養墓を作るようになりました。やはり少子化の影響は大きくて子供がいない人が増えている。彼らは墓を買いたくても子供がいないので無縁墓になると言われ、断られることが多かったんですね」

ただ、ここも商売は厳しく、場所が悪い、募集に対する考えが甘いなどの理由で永代供養墓の七割は元が取れていないのではないかと薄井氏は言う。

勝ち組と負け組に分かれつつある。それがエンディング産業界全般の実情だ。象徴的だったのが二〇〇九年のイオンによる葬儀ビジネスへの参入だった。死亡者数は増えているので全国をカバーするチェーン展開ができればビジネスチャンスは確実に増える。大手流通の葬儀ビジネス参入はそうした勝利の方程式に基づいている。

そしてイオンは新規参入らしく因習に縛られなかった。衝撃的に価格破壊したうえでその費用を明示したのだ。イオンが「火葬式」と呼ぶ直葬は一九万八〇〇〇円（当時）。これが、葬儀を出した経験がなく、いくらかかるか分からないという不安を感じていた都市民にヒットした。そしてイオンでは通夜、告別式をセットにした家族葬もメニューに載せた。

しかしここでは地雷を踏む。というのも直葬ならよいが、葬式を行うと僧侶に経を唱えてもらわないといけない。そこで僧侶に渡す布施まで明朗会計化した時点で仏教界が反発した。布施は気持ちで払うものであり、値段がつく性格のものではないというのだ。

その後、仏教界にとってイオンを上回る強敵が現れる。僧侶派遣業を二〇一三年から手掛けていた「みんれび（現在は「よりそう」に社名変更）」が二〇一五年からアマゾンのマーケットプレイスに「お坊さん便」のサービスを出品。クリックひとつで料金の支払いと僧侶の派遣を依頼できるようにした。インターネットを使えば店舗チェーンを活用せずとも全国をカバーできる。まさに高齢社会化を相手どる有利な事業展開だった。

全日本仏教会はこれについても「宗教行為をサービスとして商品にしているものであり、およそ諸外国の宗教事情をみても、このようなことを許している国はない」とウェブ上で抗議文を掲載した。

■リアルな寺だからこそできること

寺側はどう考えているのか。

台東区元浅草の真言宗智山派正福院を訪ねた。加久保範祐住職は「お坊さん便」対応に追われていた時期に全日本仏教会の広報部長を務めていた。当時を尋ねると、「ひどい逆風を感じましたね」とため息をつく。

実はイオンの僧侶派遣に対して全日本仏教会からの抗議が報道された時にも最初の一週間ぐらいは仏教会の電話が鳴りっぱなしになったという。電話の内容は「よく言ってくれた」ではなかった。「八割がイオン賛成でお布施を批判し、僧侶の悪口を言っていましたよ。お布施お布施というけど、しょせんはカネだろう、坊主はぼったくって外車に乗っている、と。大変なことになっていると思った」

寺にしてみれば宗教は資本主義経済の彼岸にあり、布施は感謝の気持ちを示す自発的なものである。だから料金を明示するのはおかしいということになるが、実際には相場もあるし、「お気持ちで」が通用しない面もあってダブルスタンダードと批判されることは避けがたい。

数多くの寺が地域に根を下ろして存在している台東区に位置し、檀家が二〇〇を超えている正福院だが、それでも昔から一貫して近所に住み続けている檀家は全体の一割を切っているという。人口の流動性はそこまで高まっている。

「人間関係がないところに僧侶が派遣されることに本質的な問題があると考えたいのですが、現実に寺と関係がなくなっている人が今ではたくさんいる。そんな現実がある以上、本質論を言うだけでは解決にならない」

寺との関係が絶たれた人が身近なチェーンの店舗網やネットで葬儀を依頼するのは確かに仕方のない面もある。

全日本仏教会との協議の結果、「よりそう」は二〇一九年にアマゾンからの撤退を決定したが、僧侶派遣サービスは自社サイトで続けている。寺が遠くなり、ネットがむしろ近い〝遠近の逆転〟のなかで、地域に根ざしていたはずの寺の上空からインターネットを用いた〝空爆〟が続く。僧侶派遣業はますます盛んで、近年はオンラインゲームや動画配信を手掛けてきたDMM.comグループが葬儀関連のポータルサイト「終活ねっと」を買収してエンディング事業に参入した。

そんな状況の中で住職は、リアルな寺だからこそできることを考えている。

たとえば葬儀でこんな経験をしたという。「葬儀に行ったらお棺の上半分が透明なガラスで出来ていたんです。すごいですね。初めて見ました。ソ連の要人の遺体を展示するのに近い感じです」。個人的にはまずハノイのホーチミン廟で見たホーチミンの遺体の、まるで照り焼きのように艶やかな肌の色を思い出し、次いでエンディング産業展でみた様々な新趣向の棺を目に浮かべていた。確かにそんな奇抜な棺もあり得ない話ではない。

だが住職の話はそこから角度を変えてゆく。「その時、参列していた高校生の女の子と後で話したら、遺体を見るのが初めてだったので、ゾワゾワしちゃったけど、お経を聞いていたら落ち着いたっていうんですね」。

そこにヒントが隠れているように感じた。

■「あの世を信じる」理由とは?

統計数理研究所が実施している「日本人の国民性」調査によると一九五八年には「あなたは『あの世』というものを、信じていますか?」と尋ねられて「信じる」と回答した人が二〇%で「信じない」が五九%だった。ところが、その五〇年後の二〇〇八年の調査では「信じる」が三八%で「信じない」の三三%を上回っている。調査結果で見れば日本人はむしろ信心深くなっているのだ(最新の二〇一三年版報告では「信じる」が四〇%とさらに増加、「信じない」は変わらず三三％だった）。

この結果が出た理由について研究員の朴堯星、吉野諒三はこう推測している（「『お化け調査』が浮き彫りにする人々の意識の基底構造」『統計数理』第六三巻第一号、二〇一五年）。社会や教育が急変する戦中、戦後に幼児・青年期を過ごした世代は近代的で合理的な価値観を強く持っており、宗教などに対して懐疑的な傾向が他にも観察されてきた。一九五八年調査では彼らが成人となってアンケートに回答した結果、「あの世を信じる」を減少させた。しかし、彼らもオイルショックなどを経て、また自身も高齢化して欧米流の近代化にひたすら追随する姿勢の見直しを始めた。そして彼らより下の世代は彼らほど合理主義の信奉者ではない。そんな事情が「あの世を信じる」という回答が時を経てむしろ増えてゆく結果に繋がったのではないか、と。

また、そこにはドイツの社会学者ウルリッヒ・ベックが指摘した近代化の崩壊とも関連があるかもしれないとしている。ベックは、近代科学の進捗はガンや心臓病のようにかつてなら致死の病に治療の道を開く一方で、チェルノブイリ原発事故のような世界に災厄を広げる巨大事故がいつでも起こりうる状況を用意し、そのリスクからはもはや誰も逃れられない状況を導いたと考えた。そんな「リスク社会」では、今日と同じように明日が来るとはもはや信じられなくなっている。

■確率的な死とこれからの宗教者

先に高齢化社会を「半減期の長くなった社会」と形容したのは、死が確率的なものになったからだ。原子がいつ崩壊して放射能を失うかについては確率的にしか分からない。死も同じになった。かつては大病にかかれば、あるいは軍に召集されて前線に送り込まれれば死が確実に予想されたが、今は高齢者も含めて誰がいつ死ぬか、確かなことがなくなった。こうして現実的で確実な死のリアリティは失われ、確率としての死が遍在している。

二〇〇八年、一三年の数理統計研究所の調査で「信じている」と答えられた「あの世」とは仏教画に描かれるような浄土のイメージではなく、この世を侵食している確率としての死の世界なのではないか。透明な棺越しに遺体を目の当たりにして高校生がゾワゾワしちゃったのはそんな「あの世」を改めて感じたからではなかったか。

たとえば東日本大震災後、霊を目撃したという話をよく聞くようになった。新聞・雑誌記者を経て独立、住職の資格も持つライターの鵜飼秀徳は、阪神淡路大震災と東日本大震災の発生後六年間の新聞記事（全国紙、地方紙）の中に霊に関する記事がどの程度あるか調べた。すると阪神淡路では一件もなく、東日本大震災では一七五件もある。おそらくそれは行方不明者数と関係があるのではないか。阪神淡路大震災で行方不明になった人は三人だけだ。鵜飼はこう書いている。

東北の被災地では遺体をきちんと見つけて供養しなければ、「浮かばれない」「終われない」という声が、しばしば聞かれた。
浮かばれない、という死者に対する思いは日本人特有のものだ、日本人は「魂をきちんと鎮める（慰める）」という手段をもって、死者に対する畏敬を表現してきた。（行方不明者の魂を鎮められなかった――引用者註）東日本大震災では、本来持っている日本人の霊魂観が呼び覚まされたのではないだろうか。

（『「霊魂」を探して』ＫＡＤＯＫＡＷＡ）

確かに死んだと決まったわけではないが、生きている姿も見せてくれない行方不明者は、安寧な日常の輪郭が確かな実線ではなく、より曖昧な破線のようなものだと意識させる存在だろう。そんな行方不明者の〝気配〟に対して「霊魂」という古くからある言葉を引いているが、生死を区分するのは確率的な偶然にすぎないと感じつつ見渡せば、津波被害を受けた行方不明者だけでなく、世界の中には霊魂と実体とのハイブリッドばかりが跋扈しているとも言えそうだ。
その意味で現代の宗教者にはまだまだ仕事が残っていると言えるのかもしれない。お布施が幾らかわからないとかいう葬祭にまつわる不安をなくしてゆくことも大事だが、確率的な死という〝幽霊〟に日常的に触れている不安を鎮める仕事も、宗教者にしかできないものなのではないか。

11

ゼロメートル地帯の水害史——東京右半分の憂鬱

（2020年6月17日、19日掲載。2019年10月〜2020年1月に取材、20年2月執筆）

漂えど沈まず——。開高健が愛した言葉として有名だ。サインを求められると丸っこい独特の筆致でこの句を書いたという。そんなエピソードを思い出したのは、江戸川を小さな船に揺られて渡っていたときだ。

東京都葛飾区柴又と千葉県松戸市下矢切の間を行き来するので「矢切の渡し」。その歴史は江戸時代にまで遡る。人々の移動を厳しく管理した徳川幕府は河川の横断にも眼を光らせ、船を自由に出すことを許さなかった。たとえば利根川水系河川では一五カ所の「渡し」が特別に許されて営業していたという。

明治になると幕府の管理はなくなるが、鉄道や主要幹線道路などに橋が開設されて各地の渡し船は廃止されてゆく。たとえば開高は『ずばり東京』で佃の渡し舟を取り上げている（「佃島↕明石町 渡守り一代」）。隅田川に残った数少ない渡し船だった、この佃の渡しも1964年五輪に向けた都市改造で佃大橋が架けられて姿を消した。その後、鐘紡の工場の女工たちの通勤に使われていた「汐入の渡し」も六六年に廃止されて隅田川の渡しは全滅となる。

歌謡曲の大ヒットでも話題になった「矢切の渡し」（撮影：筆者）

江戸川の渡しも消えていったが、川の両岸に田畑を持ち、耕作のため陸の関所を経由せずに渡河が特別に許された農民が始めたという「矢切の渡し」だけが唯一残ったのは、人荷の輸送用としてよりも、不要不急の観光需要に支えられてきたからだ。一九〇六年に雑誌『ホトトギス』に発表された伊藤左千夫の小説「野菊の墓」に登場、時を下って一九八三年には細川たかしが歌う歌謡曲『矢切の渡し』がヒットし、柴又が舞台の国民的映画『男はつらいよ』にも登場したことでその存在が広く知られ、愛されてきたのだ。

そんな「矢切の渡し」が二〇一九年の秋に「渡し」の休業を余儀なくされた。一〇月の台風一九号で江戸川が増水し、船乗り場の桟橋が流されてしまったのだ。代々世襲で細々と運営されており、復活できるか心配されたが、年末年始の繁忙期前に仮普請ながら手作りの桟橋が完成し、再開にこぎつけた。

筆者が川面をゆらゆらと漂ったのは、この復活まもない時期だった。小さな船ゆえに伸ばした手先は川の水に触れる。普段だったらのんびりできていたはずの短い船旅だったが、増水の記憶がまだ新しいためか、水が潜在させている巨大な力を感じてしまう。

たとえば江戸川区が二〇一九年五月に発行した「水害（洪水・高潮）ハザードマップ」は、表紙に「ここにいてはダメです」と書かれていたことが話題を呼んだ。巨大台風や大雨が降って河川が氾濫したり、低気圧の影響で高潮が発生すれば区内のほとんどが水没する。だから「区内に居続けることはできない」「区外に逃げてほしい」というわけだ。住民の安全を守るはずの自治体自らがそこまで言ってしまうのは責任放棄ではないのか。そう思った人も少なくなかったようだが、歴史を知ると江戸川区民の置かれた境遇にきっと同情するだろう。

■家康に始まる川筋の改造

「ここにいてはダメです」問題は、「矢切の渡し」と同じく徳川時代にまで遡る。

関東平野は三本の川の流域として形成されてきた。いちばん東が鬼怒川から常陸川と呼ばれていた川につながる水系で、銚子から太平洋に注いでいた。真ん中が今の新潟・群馬県境を水源とする利根川で、渡良瀬川と交わった後、当時、太日河《ふとひがわ》と呼ばれる川を通じて東京湾に流れていた。最も西側にあったのが秩父山系を水源とする荒川で、利根川と途中で交わり、下流では太日河だけでなく、住田川、中川と枝分かれしつつやはり東京湾に流れていた。

一五九〇年の関東入国に際して徳川家康は、川筋の整理統合を目論む。初めに指示したのは利根川の東遷だ。利根川を渡良瀬川―常陸川につなげて太平洋に流した。一方で東京湾に注ぐ川筋も残されたので、房総半島を迂回せずに、銚子から新しい利根川を遡り、太日河との合流地点で舟の向きを変えて東京湾に下るルートが利用できるようになった。東北方面から江戸に向かう物資を運んだので太日河は江戸川と呼ばれるようになった。

一方で荒川も西遷させた。荒川と利根川の交わりを断って、より西廻りに流れるコースに変え、住田川から東京湾に注ぐようにした。こうして荒川と江戸川との間に生まれたエリアに縦横に用水路を走らせて大穀倉地帯に育てた。

こうして主な川の流れを集散離合させて水運の利と耕地を得たが、元は荒川、利根川が下流で枝分かれして流れていた低地である。雨量が増えると水は主河川の堤防を乗り越えて低い土地に流れ出して溢れた。とはいえ洪水は、上流からの肥沃な土砂を耕地に運ぶ機会でもあり、農民にしてみれば歓迎すべき面もあった。

メリットとデメリットのバランスが崩れるのは明治以後だ。江戸時代に開拓された新田が広がっていた荒川東側の地区でも宅地化が進む。後に江戸川区となる地域のデータを追ってみると一八七二（明治五）年には戸数四八四九、人口が二万五二六六人だったのが、一九二〇（大正九）年には七四〇四世帯、三万九三八六人となっている。特に関東大震災以後、都心人口の郊外移転が進み、一九三〇（昭和五）年の人口は明治五年の約五倍になったという（別所光一他『江戸川区の歴史』名著出版）。

こうなると洪水は、肥沃な田畑に滋養もたらす恵みの水というよりも日常生活を脅かす水害と意識されるようになる。治水を求められた明治政府は荒川と江戸川の下流に新たな放水路を開削し、洪水を防ごうとした。新しい放水路を荒川と呼ぶようになったので、従来の荒川下流は昔と同じ音の隅田川と名前を変えた。

一方、新しい荒川（放水路）は中川を横切って作られたので、中川についても交差部分から下流に向けて新しい荒川と並行させる中川放水路を作った。都心部からJR総武線に乗ると浅草橋駅の先で隅田川を渡った後、何度も川を横切る。こうした東京東部の風景は江戸時代以来、川筋を人工的に改造してきた結果なのだ。

■天然ガス採掘でさらに地面が沈む

しかし、やがてそこにもう一つの問題が折り重なって発生する。ただでさえ洪水が発生しやすい、低い土地が沈み始めたのだ。

江戸川、荒川に挟まれた地域には町工場も多く作られ、地下水の汲み上げ量が増えてゆく。地下水が吸い出されると、粘土層の密度が高まる「圧密」と呼ばれる現象が起きて地盤が沈下してしまうのだ。江東区南砂では一九一八年から一九四三年までの間に約二・五メートルも地盤が沈下したという。

この沈下に拍車をかける事態が一九五一年に起きる。同年五月一〇日付『朝日新聞』記事を引いてみよう。

東京地方一帯に相当量の天然メタンガスが埋蔵していることは戦時中からいわれ、二三試掘も行われてきたがすべて失敗に終り、ただ江東区大島町二、猿江公園付近にわずかに噴出することが知られていた。武蔵野天然ガス研究所（所長原玉重氏）ではこれに目をつけて昨年九月、江東区から東は千葉県船橋市まで約四千万坪の鉱区を獲得、去る三月一日、六百万円の工費で猿江公園からほど近い同区大島町二ノ三四四、東弘自動車修理工場裏を掘りはじめた。

高さ二十一メートルの鉄ヤグラを組み三インチ半のパイプを入れて電波探知機でガス層を探索しながら、五百メートル掘り下げたところ第一のメタン層につき当った。この噴出量は一日約五百立方メートルだったが、さらに地下六百メートルの地点で第二の層を掘当てた。そこで上から圧縮空気を吹込んだところ、さる一日からは毎日約千トンのガスを含んだ地下水が自噴。この地下水はセンを抜いたサイダーのように地上に出るとアワを吹き、火をつけると燃え上るがこれをガス分離タンクに導くと簡単に水とメタンガスとに分れ一日千百五十立方メートルのガスが取れる。

以後、工業用水と同時にメタンガスを手に入れるために地下水を汲み上げる動きが活発になる。一九五七年には東京ガスに供給するために江東区に一一本、江戸川区内に六本のガス井戸が掘られ、日に一万四〇〇〇立方メートルのガスを算出させた。

長く歴史の話をしてきたが、ようやく『ずばり東京』の時代、つまり昭和の高度成長期に辿り着いた。世間が五輪に湧き、好況に興奮している中で、天然ガスの採掘によって東京下町の大地はどんどん沈んでいった。六八年には江戸川区西葛西二丁目で一年間の沈下量として二三・八九センチを記録。これは現在まで破られていない東京における年間最大沈下記録だった。

■「海抜0米」の風景

海抜を測ると一メートルもなかったり、時に海面より低かったりする土地をゼロメートル地帯と呼ぶ習慣が生まれたのもこの時期だった。

たとえば曽野綾子が『海抜0米』（集英社）を上梓したのは一九六三年。若い教員が泥臭い人間関係の中で苦労する姿を描くために曽野は主人公・峠百合子を山の手育ちの女性とし、その勤め先の女子校を含めて小説の主舞台をゼロメートル地帯に設定した。

学校の所在地は江戸川区宇喜田町である。これは西の荒川放水路、東の江戸川にはさまれた三角州地帯で、土地が低い。学校の敷地五千坪全体が、盛土の上にできている。これが道路と同じ高さだ。

学校の左隣は共済病院、右側も後ろもたんぼである。東京都内にこういう水田が残っていることを知らない人は多い。台風や集中豪雨があると、このたんぼはいち早く水没し、学校の敷地と道路は、褐色の海のような水の中に浮いたようになる。

（『海抜０米』）


以後、ゼロメートル地帯らしい風景が小説のところどころに登場する。大地が沈んでゆくので、それに合わせて徐々に盛り土された結果、ひどく高くなってしまった堤防。人々の暮らしを斜め上から見下ろし、威嚇するようにそびえる水門設備……。作品のクライマックスには台風の接近であたり一体が水に浸かり、「都内江東地区の浸水状態は、亀戸x丁目、小松川六丁目その他で、床上浸水三百戸、床下浸水二千六百戸……」というラジオニュースが流れるシーンが登場する。

とはいえ、この程度の水害はこの地域では日常的なものだ。元東京都職員の土屋信行が記した『首都水没』（文春新書）はゼロメートル地帯に関する貴重な情報の宝庫だが、中でも印象的なのが、区画整理事業への協力を依頼すべく土屋が江戸川区の民家を訪ねた時のエピソードだ。

その家の主は、柱の空いている四角い穴は何のためにあると思うかと土屋に謎をかける。それが分かったら区画整理に賛成してやる、と。結局、答えが分からず、白旗を掲げた土屋に戸主は、柱の穴が洪水になった時に桁を差し込んでその上に床板を乗せる仕掛けだと種明かしをする。要するにインスタントの高床式住宅にして洪水が引くまで待つのだ。

江東区のゼロメートル地帯では平屋住宅の屋根は、運河の堤防より低かった［1973年8月、東京都江東区北砂］　提供：朝日新聞社

こうして水と共に生きていた地域だったが、地盤沈下が進むと状況が変わる。海面以下の低地になると水が地面から日常的にじわじわ滲み出してくる。その対策のために排水路が整備され、その水を流すために排水機場が作られる。やがて下水道が整備されると雨水、生活水をまとめて大型のポンプで排水するようになるが、それ以前は、江戸川区内に最多で約七〇カ所もの排水機場があったという。

だが、天然ガス採掘で沈下が進んでゆくと、いくら排水しても追いつかなくなる。さすがにこれではたまらないと地元は悲痛な声を上げた。

「とんでもない」と江戸川区――護岸にヒビ、
パイプ破損…〝ゼロメートル〟悲痛な訴え

「江戸川区小島町二丁目では、去年二月から十一カ月間に、十七・三三センチも沈下した」――。都土木技術研究所の十八日の発表を重視した江戸川区は「地下水くみ上げを規制するよりほかに、地盤沈下のスピードを、食止める方法はない。まず大口の天然ガス採取に強力な歯止を」として、二十日、中里区長、長島区議会議長、それに区議会各派の幹事長、地元出身の島村代議士（自民）らが、通産省や都庁をまわり、都には「天然ガスの採掘権を業者から買収してほしい」通産省に対しては「もっと徹底した規制を」という趣旨の要望を渡すことにしている。

（『朝日新聞』一九七二年七月二〇日付）

この陳情を受けて都は大手天然ガス会社との交渉を始め、鉱業権を都が買収することで採取を停止させた。結果として七三年ごろには地盤沈下の勢いが大幅に鈍ったと報告されている。しかし一度沈下した大地が元に戻るわけではない。

「ここにいてはダメ」は、こんな土地だからこそあげられた叫び声だった。

■「ここにいてはダメです」

東京の右半分が水に浸かった光景を二〇一九年夏に多くの人が見た。現実ではなく、映画館のスクリーンの上に映し出された光景だったが――。

新海誠『天気の子』の終盤で三年降り続く雨によって東京の沿岸部は完全に水没していた。浜松町辺りは、山手線の代わりに水上バスで通勤・通学しているようである。そんなアニメが予言していたかのように『天気の子』が公開された七月一九日の翌日から各地で豪雨災害が頻出する。そして台風の当たり年にもなった。九月九日に関東に上陸した台風一五号では特に千葉県の被害が大きかった。そして一〇月一日にマーシャル諸島で発生した低気圧は六日に南鳥島近くで台風一九号に成長。強い勢力を維持したまま一二日一九時前に伊豆半島に上陸、関東地方から福島県を縦断した。

この台風一九号一過のタイミングで江戸川区役所を訪ねた。ちなみに江戸川区では区役所も海抜マイナス一メートル、海面より低い場所に建つ。死者一〇七七名、行方不明者八五三名を出したカスリーン台風上陸時の洪水の記録や現在の荒川の水位などが表示されている巨大な電光掲示装置が役所前に用意されている。

取材に対応した危機管理室防災危機管理課職員との一問一答を再現してみる。

——江戸川区のハザードマップで使われた「ここにいてはダメです」「逃げてください」という表現はずいぶん踏み込んだ印象がありました。

「これが最初というわけではありません。二〇一六年九月に発足した江東五区広域避難推進協議会で協議し、二〇一八年の八月に江東五区（江戸川区、墨田区、江東区、足立区、葛飾区）のハザードマップを作っていますが、その時にもこの表現を使っていました。江東五区は土地が低く、浸水するのでその外へ避難してほしいという意味でした。その後、江戸川区はハザードマップを作った時にその表現を踏襲しましたが、五区の中で使うかどうかはそれぞれに任されています」

――自治体の使う言葉としては斬新でしたから話題になりました。

「二〇〇八年に、前の版のハザードマップを作った時には計画規模の降雨量（例えば一級河川の主要区間においては、概ね一〇〇～二〇〇年に一回の確率で降るかもしれない降雨量のこと）を想定していたのですが、その後、水防法が改正され、想定しうる最大の降雨量で浸水想定区域図を作るということに変わりました。以前は川の洪水だけを扱っていましたが、東京都が高潮の浸水想定区域図も作ったので、それも重ね合わせて総合的な水害ハザードマップとして作ったのです。区の面積の七割が水面下の海抜なので、大きな水害の場合、自区の中で避難所を持つのは無理だということになりました」

――無理なのですか？

「浸水の時間が一週間から二週間続きます。早く水が引くのであれば、自分のマンションの上層階や近くの高い建物に逃げる垂直避難という手法もありますし、スーパー堤防の高台、市川の国府台の台地に避難するなどの考え方もあります。ただ、浸水する期間が一～二週間にもなるようですと、電気が使えない、トイレが使えない状態での避難は難しい。感染症が広がったりなど、二次被害も起きるかもしれない。ということから五区協議会では浸水のエリアの外へという広域避難を推奨するようになりました」

――なぜ、そんなに長く水が引かないのでしょう？

「海面、川の水面より地面が低いですから、入ってしまった水は人工的に抜かない限り溜まり続けます。普段でも下水はポンプで排水していますが、ポンプ設備が浸水してしまうと使えなくなる。ポンプ車などを投入して区外から排水しないと水は引けません。いつ抜けるかは排水能力との兼ね合いで決まりますが、おそらく一～二週間はかかるでしょう」

――その間の避難先になる区外の施設などは決まっているのでしょうか？

「五区外で受け入れてもらうための広域避難場所は今の段階では用意できていません。区内では避難できないという状況をいち早く区民に知らせるために、わかった情報をすぐに出しました。

江東5区広域避難推進協議会が2018年8月に発行したパンフレット

広域的な避難場所や避難方法については都と国にお願いして検討を始めてもらっています」

――台風一九号のときにも「ここにいてはダメ」と指示したのですか？

「三日前の段階で台風の勢力が上陸時に九三〇ヘクトパスカル以下と予想された場合は広域避難情報を出しますが、その時点では上陸時には九五〇ヘクトパスカルになるとされていたので条件的に該当しませんでした。予想雨量も条件に満たなかったので広域避難は求めず垂直避難にすると決めました。結果的に新中川より西側の高台以外の地域に避難勧告を出し、三万五〇〇〇人が区内の一〇五カ所に避難しました。学校が六五、区民施設が四〇カ所です」

――荒川の堤防を高くするとか、もっと根本的な対策は考えていないのですか？

「江戸川区を流れる川は国や都の管轄です。三八万棟が浸水したカスリーン台風の時よりも今回は雨量が多かったのですが、区内に洪水による浸水はなかったので、かなり対策はしてくれているのだと思います。ただ今後は温暖化でスーパー台風が発生するとも言われているので油断はできません。さらなる堤防強化の必要性もあると思っています」

■度重なる論争と洪水対策

確かに荒川、江戸川が流れるのは江戸川区だけではない。水は物理的法則だけに従い、高いところから低いところに流れる。低い堤防を一カ所で高くすれば、次に低いところから溢れる。だからこそ河川の流域全体を対象とする対策が必要で、区だけで何かできるものではない。

流域全体を対象とする対策といえば、徳川時代の利根川の東遷、荒川の西遷がこの地区の水害の遠因となっていることは先に書いたが、家康はそれを想定して手を打ってもいた。現在の熊谷市と深谷市の一部に意図的に川を氾濫させ、増水した水量を一時的に受け止める遊水地を設け、下流の洪水を防いだのだ。

これは神奈川県の事例だが、台風一九号の降らせた雨で鶴見川が増水し、新横浜公園を水浸しにした風景を映し出しながらテレビのニュース番組が洪水の危険が迫っていると報道した時、事情通がこれは鶴見川下流の洪水を防ぐための「多目的遊水地」の役割を公園が果たしているのだとネットで訂正する一幕があった。だが、遊水地の発想は徳川時代にも既に存在していたのだ。

その遊水地の水がさらに下流に流れないように江戸時代に作られたのが「中条堤」と呼ばれる堤防だった。利根川を越えて中条堤までの間に貯留される水量は一億立方メートルにも達していたと言われており、下流の江戸の街を洪水から守るうえで重要な役割を果たしていた。

しかし、浅間山の噴火によって、大量の土砂が利根川に流れ込み、洪水の頻度が高まると状況が変わる。この遊水システムで水没する地域から不満の声が上がるようになったのだ。それはやがて中条堤の高さをめぐる論争につながってゆく。

遊水で水没する堤防の上流に暮らす住民は堤防を低くすることを望んだ。その方が貯まる水の量が少なくなって早く水が抜ける。対して堤防の下流の住民は堤防を高くするように望んだ。堤防が崩れて洪水になるのを避けるための当然の措置である。それぞれの立場に基づく議論は長く

“地下神殿”と言われる首都圏外郭放水路（撮影：筆者）

繰り返され、中条堤は「論所堤」と呼ばれるようになる。その論争は明治になっても決着がつかず、埼玉県議会を紛糾させる一大事となっていた。一九一〇年に長雨と台風が重なって利根川が増水、遊水地でも留めきれず中条堤が決壊して東京が大洪水に見舞われたのを機に、明治政府はこの地域を遊水地として利用する方法を諦め、利根川の両岸に高い堤防を造って外に水を逃さない方式に変えている。

　結果的に下流の洪水対策は別の方法に頼る必要が生じた。荒川放水路や江戸川放水路を開削し、増水を海にいち早く流す方法が選ばれたが、これも地盤沈下が重なって追加の対策が求められるようになる。

　そのひとつが、たとえば首都圏外郭放水路の建設だ。埼玉県春日部市の江戸川沿いに位置する庄和排水機場の地下には周辺の中川、倉松川、大落古利根《おおおとしふるとね》川《がわ》といった中小河川が増水した時にその水量の一部を地下トンネルに流し、貯めておく調圧水槽が作られている。地下二二メートルの位置に作られた調圧水槽は長さ一七七メートル、幅七八メートル、高さ一八メートルの巨大な空間であり、柱が高く伸びたローマ時代の神殿のような姿から〝地下神殿〟の別称を持っている。そこに貯めた水を秒速五〇立方メートルの排水量を誇るポンプを四台使って比較的水量の余裕がある江戸川に流すというシナリオだ。

この首都圏外郭放水路の供用が二〇〇六年六月に開始されて以来、中川流域の洪水は発生していない。ただ、台風一九号上陸時には江戸川でも「矢切の渡し」の乗降桟橋が流失する（二〇二頁参照）など小さな被害は起きていた。温暖化で発生が懸念される超大型の〝スーパー台風〟が上陸し、豪雨と高潮が重なるなど条件が悪化していれば持ちこたえられない可能性もあろう。今後、上流で流量をコントロールするダムの建設や、中流域で他の遊水施設を追加したり、下流の護岸工事を徹底したりする必要がありそうだが、私たちはそこに踏み出せるのだろうか。

■「天災は忘れられたる頃来る」

アニメの話で始めたので、アニメの話で結ぼう。

江戸川区の行船《ぎょうせん》公園に設置されている石灯籠は大海嘯《だいかいしょう》記念碑と呼ばれてきた。大海嘯という言葉だと思う人が多いかもしれない。「腐海」に住む巨大生物「王蟲《オーム》」が集団で溢れ出して人々と新海に先んじて国民的アニメ監督と呼ばれてきた宮崎駿が『風の谷のナウシカ』に登場させたの生活圏を襲う災害をアニメの中では大海嘯と呼んでいた。

しかし、それは宮崎の造語ではなく、実は高潮や津波を指す由緒ある言葉だ。大海嘯記念碑の由来は一九一七（大正六）年に関東地方に接近した台風の集中豪雨に高潮が重なり、葛西村で二三〇人の死者が出た水害だ。このときに当時の東京府知事・井上友一《ともいち》が直ちに救援対策を打ったことを感謝し、村の人々が府知事の墓前に石灯籠二基を献納した。それが井上家より江戸川区に寄贈され、行船公園に設置された。水害＝大海嘯を忘れないようにとの思いが込められた灯籠の脇には「天災は忘れられたる頃来る」という寺田寅彦の言葉を刻んだ碑文が添えられている。

にもかかわらず、私たちは何度でも忘れてしまう。『天気の子』の水没した東京の光景が、多少の誇張はあるとはいえ、東京の低地で実際に何度も見られたものだったことを忘れて、アニメの映像に魅了される。64年五輪は山の手中心の開催だったが、２０２０年五輪は違う。もし会期中にスーパー台風が襲来し、江東五区が浸水してしまえば江戸川区の臨海部の会場に置かれた五輪競技用カヌーすら避難用に使うというような、どうにも笑えない事態に至るかもしれないが、そんな可能性はみんなすっかり忘れている。

水害に強い東京をつくるためにどうすればいいか。ゼロメートル地帯とはそこを起点（＝ゼロ点）としてこれからの都市と社会を考える場所なのではないか。

12 大根の聖地の農業ルネサンス

（2020年8月31日、9月2日掲載。取材は2019年11月─20年1月。2020年7月執筆）

筆者は大学院に進学するまで東京都二三区のひとつ練馬区で暮らしていた。間近な記憶は色褪せやすく、子供の頃の記憶は不思議なほど鮮やかに残る。その法則は筆者にも該当し、主に一九六〇～七〇年の練馬界隈の風景を今でもよく思い出す。

自転車で走り回っていた行動範囲の中に、空き地がたくさんあった。

ここまで空き地が豊富なのは東京の中でも珍しいらしい──。そう気づいたのは高校進学後だった。都立高が学校群制度を採用していた時期だったため、我が高校は練馬、中野、杉並の三区から生徒を集めていた。

級友と話していると、どうも見てきた景色が違う。他区の友人が幼い頃に遊んだのは公園だったようだが、筆者をはじめ練馬の子らは空き地の原っぱの話をした。漫画『ドラえもん』に出てくる、土管が置いてある原っぱそのものである。練馬区では農地宅地化の遅れを取り戻すべく、筆者の少年時代には宅地の造成が急ピッチで進んでいた。区画整理が進んで新しく道が造られていたが、宅地はまだ分譲されていない。そんな過渡期に、子供が三角ベースをしたりするのに格好の空き地ができていた。

そんな造成地は何を覆い隠してしまったのだろう。

空き地の下に広がっていた農地の歴史は元禄九（一六九六）年に玉川上水の支流として千川《せんかわ》上水を開いたときに始まるとされている。千川上水は白山（小石川）御殿（徳川綱吉の別荘）や湯島聖堂への給水を当初の目的としていたが、周辺住民の要望によって灌漑用水に使用されることになった。ただ、あたりに広がっていた関東ローム層の土は保水に不向きで、練馬は田圃より畑が多い場所となった。

その畑で作られていた代表的作物が大根である。大根の歴史は練馬の農業の歴史よりもはるかに古い。なにしろ日本史における初出は古事記から、仁徳天皇が自分のもとを去った磐之媛《いわのひめ》皇后に送った恋歌にその名が出てくる。

つぎねふ山背女《やましろめ》の　木鍬《こくは》持ち打ちし大根《おほね》　根白《ねじろ》の白腕《しろただむき》　纏《ま》かずけばこそ　知らずとも言はめ

こうして「おほね」と呼ばれていた大根は主に京で作られ、平安時代までは貴族の食べ物であった。それが徐々に庶民も口にできる食材になり、徳川吉宗の命で本草学者の丹羽正伯《しょうはく》がまとめた『諸国産物帳』でも大根は数多く取り上げられているという（竹下大学『日本の品種はすごい』中公新書）。

■五代将軍綱吉の脚気

そんな大根がなぜ練馬の名を冠するようになったか。一説によると、きっかけは五代将軍綱吉の病気だったという。まだ上野館林藩主で松平右馬頭《うまのかみ》と名乗っていた頃、脚気を患った綱吉は陰陽師に相談したところ、「江戸城西北の〝馬〟の字がつく地名の場所で養生するように」と告げられた。そこで綱吉は下練馬に御殿を建てて移り住む。その地で綱吉は尾張名産の大根の種を取り寄せ、作らせたという。尾張では奈良時代の後期から大根が多く作られていたのだ。

方領《ほうりよう》大根、宮重《みやしげ》大根と呼ばれた尾張の大根が練馬に持ち込まれ、土地の地大根と交雑して一メートルの長さに育つ品種となる。火山灰土が深く積もった柔らかい土壌だった練馬ではよく育った大根でも引き抜きやすかった。これが練馬大根のルーツとなる（大竹道茂『江戸東京野菜の物語』平凡社新書）。

元禄には青物市場が神田に設けられ、幕府への上納品を扱う青物役所も設けられたが、大根に関しては練馬産と指定されていたという（練馬区教育委員会社会教育課郷土資料室編『練馬大根』）。元禄の『本朝食鑑《ほんちようしよつかん》』や亨保の『食物知新』にも練馬大根の紹介がある。この頃には地域のブランド野菜となっていたのだ。

では、なぜ綱吉が大根栽培を求めたのか。沢庵がおそらく関係している。北品川で東海寺を開いた沢庵禅師は大根を干してぬか漬けにし、三代将軍家光をもてなしたという。江戸は人工百万

練馬春日町駅のほど近く、愛染院の門前にある練馬大根碑（撮影：筆者）

超えの大都市になっており、玄米を精米した際にぬかが大量に作られていた。大根はぬかのビタミンB1を吸収する。脚気はビタミンB1不足が原因なので、沢庵漬けは脚気予防に効果があるとされていた。自らも脚気に苦しんでいた綱吉はぬか漬けを求めて練馬で大根を作らせたのだ。確かに太くて長い練馬大根は、沢庵漬けに向いている。

以後、練馬は大根沢庵漬けの名産地となり、一八七四年の『東京府志料《しりょう》』によれば、練馬区で全国の沢庵漬けの八割を生産していたという。ちなみに一九四〇年には皇紀二六〇〇年を記念して愛染院の門前に練馬大根碑が建立されている。今、愛染院は近くに地下鉄大江戸線練馬春日町駅ができてすっかり宅地に包囲されているが、当時は大根農家が檀家に多く含まれていたのだろう。

しかし、この大根の産地としてのブランド化は練馬出身の高校生、特に女子にはありがたくない話だった。仁徳天皇の歌で大根は「白腕」に喩えられている。しかし太く長い練馬大根はどう見ても細腕よりもたくましい足だ。「大根足」の語ができたのも江戸時代だったという。

■農地も大根生産も急減

西武鉄道“黄金列車”の糞尿取り卸し基地に肥桶を持って農民たちが集まってきた［1946年］　提供：朝日新聞社

こうして大根によって知られる練馬は、東京の中でも農地の多い、開発の遅れた地域というイメージがつきまとっていた。

たとえば「黄金列車」もしばしば話題にのぼった。第二次大戦中、戦況の悪化でガソリンなどの燃料が不足し、都市住民の糞尿を農地に運んで肥料とする流れが滞った。そこで東京都長官の大達《おおだち》茂雄は農業地域を走っていた西武鉄道社長・堤康次郎に糞尿輸送を依頼する。堤はタンク車一一五両を新造し、その依頼に応えた。

こうして一九四四年から始まった糞尿輸送は一九五三年まで続いた。鉄道ライターの小川裕夫は『封印された鉄道史』で、農村を走っていた〝黄金列車〟について「歴史の狭間に埋もれた、なんともかぐわしい鉄道秘話だと言えるだろう」と書いているが、糞尿の鉄道輸送はなくなってもイメージ上の残り香はなかなか消えない。

筆者の少年時代は、そんな練馬が宅地化に邁進していた時期だった。一九四六年に二〇五一ヘクタールあった経営耕地面積は一九六〇年に一五六二ヘクタール、七〇年には九二二ヘクタールに減少している。

宅地化を進める条件が揃っていた事情もあった。一九六三年に書かれた開高健『ずばり東京』には「練馬のお百姓大尽」という章がある。

東京へ、東京へと人がおしよせてくるので土地の値がめちゃくちゃに上がり、練馬区のお百姓さんになると、評定資産が一億、二億というような数字になるのがざらにいるのだそうである。この区の農協の預金高は三十五億エンというすごい数字で、もちろん日本一である。土をコソコソひっかいて値の変りやすい野菜などをつくるよりはというので、みんなどんどん転業してゆくのである。

開高は取材を受けてくれた人がガソリンスタンド、建材業、マーケット、風呂屋、養鶏業などに転業して、みな〝成功〟していると書いている。地価上昇は農家を大いに誘惑していたようだ。

こうして急激に減っていった農地よりも更に大根の減少は俊足であった。六〇年には最盛期の約一〇分の一になり、七〇年にはそこから更に半減している。練馬区教育委員会社会教育課郷土資料室編『練馬大根』によれば大根栽培と沢庵漬けは多くの男手の労働を必要し、生産の割には利潤が少なかったため、ウイルス病が広がったことをきっかけにキャベツへの転換が進んだと説明されている。

■世界都市農業サミット、開催

〝発展途上区〟練馬から〝先進区〟中野にある高校に通っていた筆者や同級生たちは、練馬で大根は既に作られていないし、農地もなくなっている、そんな弁明をしばしば強いられたものだった。

ところが――、そんな青春時代から約四〇年が経った今、練馬の実家に戻ろうと、かつての〝黄金列車〟を走らせていた西武池袋線に乗車してみる。すると、駅という駅に「世界都市農業サミット」開催を知らせるポスターが数多く貼られている。曰くニューヨーク、ロンドン、ジャカルタ、ソウル、トロントの五都市から農業者や研究者、行政担当者などが集まるらしい。練馬区出身者としては故郷が急に国際化されたようで大いにプライドをくすぐられ、二〇一九年一一月二九日から三日間の開催期間中に会場を訪ねてみた。

一二月一日の主会場になっているのは西武池袋線練馬駅北口の練馬文化センターだが、駅を出てまず目を引いたのは駅前の「平成つつじ公園」の広場に所狭しと出店された模擬店やキッチンカーだった。練馬産の野菜を売るマーケット「ねりマルシェ」で、地場産の野菜を使った料理も提供している。

練馬産の野菜を売るマーケット「ねりマルシェ」(撮影:筆者)

国際会議場では「みんなde農コンテスト」が開催されていた。覗いてみると我が出身中学の兄弟校である開進第二中学校の農部の生徒がプレゼンをしていた。農部? その響きにまず耳を疑った。しかし、緑や青などの農作業衣を来てステージに背を伸ばして並び立つ中学生たちは、「学校の畑はまちなかの畑へ」と題したパワーポイントを使って学校の農地で作った野菜を地域住民に販売している様子を報告しており、我が目を疑った。農業からいかに遠くあるかに腐心していた我が青春の遠心力とは逆に、今や生徒たちは農業の下に集まり、その実践を誇らしげに発表している。

世界都市農業サミットと同時に〝練馬大根引っこ抜き競技大会〟も別会場で開催されていた。こちらはサミット前から既に一〇回以上も実施されてきた冬の恒例行事だという。練馬といえば今でも大根のようで注目度は高く、あっという間に予約が埋まってしまうほど人気を呼んでいるという。時間内にどれだけ抜けるかに挑む「選手権の部」と、抜いた大根の長さを競う「グループ参加の部」の構成。中太で長い〝練馬型〟大根は抜きがいがあり、こちらも会場を訪ねてみると応援勢からの歓声が絶えない。

そんな様子を見てつくづく思った。どうやら我が生まれ故郷の練馬はかつてのように農業から脱出しようとはしていない。むしろ農業を歓迎する再農業化の時期を迎えているらしいのだ……。

■脱農業化と再農業化

とはいえ、そこで脱農業化「から」と再農業化「へ」とつなぐのはふさわしくないのかもしれない。

世界都市農業サミットが開かれていた会場に最寄りの西武池袋線練馬駅は、高架化されて地下鉄有楽町線や都営地下鉄大江戸線とも接続されている。駅周辺は地上三五階「ディアマークスキャピタルタワー」、地上二九階「プラウドタワー練馬」等々と名前からしていかにも今風の高層タワーマンションが林立し、農村風景の中で糞尿を運んでいたかつての練馬風情は名残すらない。その意味では「脱農業化」は今も進んでいるのだ。

だが、それと同時に「再農業化」が模索されている。農村「から」都市「へ」の発展ではなく、都市と農村の同時成立が目指されているようなのだ。

一九九六年に、東京二三区の区役所の中では文京区役所（地上二八階）に次ぐ地上二一階の本庁舎棟を完成させ、高層化で地域に先鞭をつけた練馬区役所を訪ねて話を聞いてみた。

「結果的に、生産緑地制度が都市に農地を残してきたと言えますね」。毛塚久・都市農業担当部都市農業課長が言う。

生産緑地という考え方が今のようになったのは一九九二年の生産緑地法の改正からだ。同法自体は一九七四年の制定。当時、急速に進む都市化の中で市街地の緑地が減少し、住環境の悪化や、地盤保持・保水機能の喪失が懸念されており、それに歯止めをかけるため、市街化区域内で公害、災害の防止等の効果が見込め、公共施設敷地に適している農地を対象に、指定を受ければ宅地並み課税を免除される仕組みが作られた。ただこの段階では農地を自治体が買い取って将来的に都市計画公園などにすることが想定されており、農業の継続に焦点を当てたものではなかった。

この生産緑地法は一九九二年に改正され、市街化区域内の農地を生産緑地と宅地化農地に二分した。バブル景気もあって都市の地価は上がり続け、転用せずに農地のままに留めておくのはいよいよ非経済的となった。そこでこれまで以上に激甚な宅地化が進むとさすがに都市から緑が消え失せかねない。そんな道を歩まないために農地を政策的に残すべきではないか、とする考え方がおそらく二分法の背景に控えている。

「生産緑地の指定をうけると固定資産税が通常の農地に対して三〇〇分の一程度になって農業を続けやすくなります」。ただし——と、毛塚課長は説明を続けた。「一方で義務もあって三〇年間営農し、生産のために農地を使い続けないといけない」。

節税できるとはいえ、一度、指定を受けると農地以外に転用転売はできない。三〇年先の未来まで約束させられるのは結構ハードルが高い。練馬区では生産緑地法改正の時点で四八八ヘクタールの農地があったが、約半分の二四六ヘクタールの地主は生産緑地制度を選ばなかった。結果はてきめんで、指定を外れた農地は今や二四ヘクタールまで減ってしまった。対して生産緑地の指定を受けた農地は二〇一八年八月現在で一七八ヘクタールが健在だ。

とはいえ、それは無策のままで残ったわけではなかった。二三区内では、より面積の広い世田谷区を抜いて練馬区が最大の生産緑地面積を維持しているのは、個々の農家が新しい都市内農業を目指すことを区が支援してきた結果なのだ。

■「体験農園」と「ねりま農サポーター」

練馬で最大の生産量を誇るのは今や大根ではなく、キャベツだ。キャベツだけが唯一、市場に出荷されている。他の作物はといえば市場に流さず、自分の庭先で販売するか、農協の農産物販売所に出している。地域の人に食べてもらうための作物作りに農業のスタイルが変わったのだ。ちなみに公表されている農産物直売所は一〇八カ所。それ以外に公表されていない庭先直売所が多くあるのは、近所の需要に応えることで手一杯なので新しい客が来られても困るかららしい。

生産する品種も変わった。ブルーベリーや柿、葡萄などの果樹を摘み取ったり、直売所で購入できる農園を練馬区では〝カジュアルに農とふれあう〟「果樹あるファーム」と名付けて、果樹作りに転換する際のイニシャルコスト（初期費用）とPR、防鳥ネットを作る時や摘み取りに来た客用の休憩スペースを作る際の支援をしている。

果樹は普段は手間がかからないので兼業農家でも育てやすい。人手がかかる収穫作業は訪ねてきた客が摘み取ってくれる。自分でもいだ果実を持ち帰れるので好評だし、農家は参加費が収入になるというウィンウィンの関係に持ち込んでいる。ブルーベリー観光農園は令和元（二〇一九）年度に区内で三〇園まで増えた。

地域に農地を開放する「体験農園」も練馬の農家が考案したものだと毛塚課長が言う。「昔の農家は自分の畑に他人を入れるのを嫌がりましたが、今は考え方が変わった。生産緑地という考え方は農家自身が耕作することを前提としていたのですが、国との交渉の結果、体験農園が認められました」。

練馬区内には農業体験農園が現在一七園あり、一つの行政区では全国一だという。体験農園では農地を区画単位で体験希望者に提供する。農家にしてみれば、農地をすべて自分で耕す労働力が節約でき、一方で体験農園利用料が先にもらえるので収入の安定化が実現する。「果樹あるファーム」と同じ考え方だ。

果実の摘み取りや耕作体験から更に踏み込んで、農業者を支える「ねりま農サポーター」を育成する教育事業も二〇一五年に始めた。初級コースを終えるとサポーター登録ができる。サポーターになれば、かきいれ時に農家を助ける援農活動に加われるし、中級、上級と進んでゆくと畑の中に個人管理区画が持てる。サポーターの育成事業は、二〇一五年から一九年度までに八五人を養成してきた。

こうして新しい都市農業の取り組みを取材していて面白いと思ったのは有機農法の取り組みだ。農薬を減らすと支援が得られる東京都エコ農産物認証制度に申請して、認証を受けている農家数でも練馬は№1だという。ただ完全無農薬はあまりない。オーガニック食品が人気なのは分かっているが、虫を出すと近隣に迷惑になるので最低限の農薬を使う。都市の中で農業を続けるためには隣接する都市民への配慮が必要となる。

こうした努力の結果、「だんだん農地っていいよねという感覚が広がってきている」と毛塚課長が言う。

■農地が育む多様なつながり

実際に農家のひとつを訪ねてみた。地下鉄大江戸線の終点である光が丘駅から徒歩十数分。高層団地が林立するニュータウンの中心を外れると低層マンションとドラッグストアとファミレスがある郊外的な景色となる。

その先に区役所から紹介してもらった五十嵐宏さんの家があった。ゆったりとした敷地に住家と農具関係を収める納屋が配置されている。練馬に住んでいた筆者の少年時代も農家の友人の家に行くとこんな佇まいだったなと思い出す。塀には「やさしくおいしい新鮮野菜の店、五十嵐農園」と書いた看板が掲げられ、玄関先には大根や小松菜、白菜などが直売されていた。

さっそく畑に連れて行ってもらった。「ここはキャベツの苗。そこが白菜。ここがブロッコリー……。一カ所で多品種を作ります。年間で数えれば全部で約三〇種類ぐらいになりますね」。取材は一月だったので既に収穫は終わり、畑は土だけだったが、五十嵐さんは在《あ》りし日の作物たちを思い浮かべるかのように話す。

玄関先には野菜が直売されていた［2020年1月］（撮影：著者）

両親から相続した際に手放した農地の一部は宅地となり、今、生産緑地として残っているのが住居の隣の二反と少し離れた場所にある四反。昔からの住宅と新しい住民用の戸建て住宅が混じる風景の中に畑があり、まさに都市内農業の姿そのものだと感じた。

畑で採れた作物は直売だけでなく、学校給食にも使われている。「小学校との関係は一〇年以上になります。以前は給食センターで作っていたので、作物を提供してもどこの学校の生徒が食べるのかわかりませんでしたが、今は個々の学校で作る自校給食になったので、直に小学校の栄養士と取り引きしています。生徒は給食の時間に栄養士から自分たちが食べる野菜について説明を聞くようです」。

畑と道を挟んで建つのは豊渓《ほうけい》小学校。明治九（一八七六）年の創立と練馬区で二番目に古い学校だが、少子化で今や学年で二~三クラスしかない。大多数とともに学んだ世代としては寂しくないものかと心配になるが、マスプロ教育では望んでも叶わなかったきめ細かな指導を受けられる。近くの農家が作った野菜を給食で食べるだけでなく、三年生が畑にも行くそうだ。

「夏は朝、生徒に来させて枝豆をもがせて、さやをとらせる。とうもろこしも取って皮をむかせる。土の上を裸足で走るのは昔ならごく普通だったけど、今はやらないでしょう。畑に入ること自体が経験として珍しい。キャベツなんかも、虫がついているとそこばっかり気になっちゃってダメだね」と笑う。

農地が作物を生産しつつ様々なつながりを実現する場になっている。五十嵐さんは一年中、援農の助けを借りて、農作業全般を手伝ってもらう。「いろいろな人に来てもらっていますよ。大学図書館の司書もいるし、女房の知り合いで横浜からはるばる来てくれる人もいる。あと農家出身ではないのだけど一〇年ぐらい前から土いじりするようになった八〇歳になる人もいて、うちの畑の端を自分の好きに使ってくれていいと言っています」。

■持続可能な都市農業が課題

自宅から少し離れた場所にあるもう一つの農地に移動して、このあたりで脱農業化と再農業化はどう進んだのか、特に景色の変化を聞いてみた。「一九六四年の五輪の頃? 笹目通りが整備されたりしましたけど、それ以外は関係なかったですね。畑が広がっていて、当時はここから笹目通りまで見えたから」

六四年の東京五輪では戸田漕艇場がボートレース会場になったため、目白通りの谷原から戸田までを結ぶ笹目通りが整備された。農村的風景の中に突如現れた幅広の道を地元では「オリンピック道路」と呼んでいた。そこには周囲とのミスマッチに対する揶揄や諧謔のニュアンスも含まれていた。

しかし、やがて道の方に周囲の景観が追いついてゆく。成増陸軍飛行場が戦後はGHQ（連合国軍最高司令官総司令部）に接収されて米軍家族住宅「グラントハイツ」として使われていたが、七三年に全面返還され、跡地に大規模団地である「光が丘パークタウン（光が丘団地）」が造成された。五十嵐農園からは、光が丘団地と一緒に作られた清掃工場の排気塔が遠望できる。

大規模なニュータウンには移動の足も必要になる。七二年に西新宿（現・都庁前駅）―高松町（現・光が丘駅）間全線の敷設免許が申請されたが、ミニ地下鉄への規格変更などが続いて工事着工、建設は遅れ、都営12号線として光が丘駅―練馬駅間の開業は平成になった九一年末となる。結果的に六本木まで地下鉄一本で行ける便利な街になって、光が丘団地を中心に宅地化が進んだ。「新しい住民も増えて一緒に市民農園をこれからやってゆくことになりますね」と五十嵐さんは言う。

ただ気がかりなこともある。

生産緑地法改正から二〇二二年で三〇年。つまりその時に生産緑地の指定を受けた農地は更新の時期を迎えるのだ。二〇一七年五月に生産緑地法の一部が改正され、指定（都市計画決定）から三〇年経過後も安定した営農を続けられるように、これまでと同じ税制措置を受けつつ、一〇年ごとに指定を更新できるようになった。生産緑地として認められる最低面積が五〇〇から三〇〇平方メートルに変更されたり、生産緑地地区における建築規制の緩和で直売所がその中に建てられたりするようにもなった。

こうして農業を維持しやすいように規制緩和が続いているが、後の世代に農業を継がせるかを考えると悩ましい。五十嵐さんも「相続はねぇ」と言葉を濁らせるのだった。

相続人が農業を継続しない場合、区に申し出て買い取りを斡旋してもらい、それが不調に終われば宅地としての転売も可能だが、結構な手間がかかることは確かだ。ならば……と考えるのも自然な人情だろう。

脱農業化と再農業化を同時に進め、都市の宅地の中に農業を確かに位置づけるためには、どうやらもうひと工夫が必要のようだ。

13

東京コロナ禍日記——サヨナラ東京2020

（書き下ろし）

「はじめに」で復興五輪を記念した聖火リレーが福島を起点とする話を書いた。正確には三月二六日に福島県楢葉町《ならはまち》と広野町《ひろのまち》にまたがるサッカー施設Jビレッジからスタートする——。最初にそう聞いた時の驚きは大きかった。Jビレッジから北にゆけば、原発事故以来の放射線量の高さで帰宅困難と認定された区間が広がっている。聖火リレーにふさわしい場所とは正直言いかねる。

とはいえリレーの具体的内容が明らかになり、発表されたルートが描くジグザグ模様を見て謎が解けた。スタート地点のJビレッジから南下していわき市に向かい、そこから内陸部に入って川内村を経由し海側に戻って富岡町。そのまま北上するかと思えば再び内陸部の葛尾村《かつらお》を経由し、海岸部に再度向かって浪江町《なみえまち》……。

酔っ払いの千鳥足のようなコースを地図と照らし合わせて、ああそうか、と膝を打つ。原発事故の傷跡がいまだに癒えない帰宅困難地区を見事に迂回しているコースなのだ。

ちなみに聖火リレーだからといって二四時間聖火を絶やさず、ランナーからランナーへと後生大事に手渡ししながら走るわけではない。実際にランナーが自分の足で大地を蹴って走るのは要所要所に限られる。
たとえば帰宅困難地区が一部残る大熊町では、大川原《おおがわら》地区復興拠点が聖火リレーのルートとなり、ランナーは新設された町役場までを走る。浪江町では廃炉に活躍しているロボットの研究拠点がスタート地点で、福島水素エネルギー生産拠点がゴールだ。こうして除染が進んでいる地域、その中でも廃炉や復興への取り組みが見せられる場所がコースに選ばれ、リレーを中継するカメラの映像に復興関係の先端科学技術関連施設がばっちり映ることが意識されてもいる。除染がまだで線量が多い場所はランナーを走らせず、クルマで移動させればいいという腹づもりなのだろう。

ルートに入っていない双葉町でも全域帰宅困難というのはあんまりだと思われたのか、三月四日に一部地域で指示が解除される予定だという。それは、もうひとつの〝目玉商品〟との絡みもある。三月一四日、津波と原発事故の結果、最後まで不通のまま残されていた富岡、浪江間約二〇キロが運転を再開し、３・11以来九年ぶりに常磐線が全線で開通。夜ノ森（富岡町）、大野（大熊町）、双葉（双葉町）の三駅が利用可能になる。

こうして開通する常磐線と復興聖火リレーで盛り上がる福島県浜通り地区の二つを取り上げてレポートしたらどうか。一月の中旬そんな企画を立てていた時には、世界がどんな運命をその後迎えるのか、知るよしもなかった。

■金の卵たちを運んだ鉄路

常磐線は64年五輪と2020年五輪を繋ぐ補助線にもなる。

東海道本線、山陽本線といった「本線」ではない路線の中で日本国内最長となる延長約三六三キロの常磐線は、日本近現代史の縮図のような存在だ。一八九七年に久之浜《ひさ》（現在のいわき市）まで開通すると常磐炭田の石炭を首都圏に運んで近代産業の成長を支えた。仙台まで延伸されると福島県の太平洋側の、いわゆる浜通りを通る常磐線は内陸部の山間を走る東北本線より勾配が緩やかだった。高速で走る旅客列車や積載量の多い貨物列車の運行に適しており、仙台以北、さらには青函連絡船を経由して北海道との間で人と物資を運ぶ主要路線となった。東北地方初の特急列車となる「はつかり」も常磐線経由で運転され、仙台から上野までの間はむしろ常磐線の方が実力的には「本線」だった。

開発を急ぐ首都へ働き手として送り込まれた集団就職組の若者も常磐線で上京し、上野駅に降り立った。

昭和三〇年代にスポットを当てた小説をいくつか書いている大屋研一に『昭和の金の卵たち』（三五館）という作品がある。主人公の「おれ＝浦佐浩」は青森県出身。中学を出て東京に働きに出た。

やがて列車は荒川を渡って車窓のながめは人家と、これに混在する工場、そんな案配となった。家また家、家、家、家と浩の視界はびっしりと家に埋め尽くされ、それらは統一感をまったく欠いていた。おれの故郷の家々は、裕福な家と貧しい家とのちがいはあっても、これほどてんでばらばらではない。ある一つの統一感があった。が、この辺りはなんと云うか、ばらばらな形で密集し、その状態で際限もなくひろがっている。浩は初め、家の海だと思った。何度かおれは五能線に乗って鰺ヶ沢にいったことがあり、日本海をみた。凪いだときの海はおれの気分を穏やかにさせた。しかし荒れた日本海は、それ自体がぎしぎし軋むようで、おれの気持ちに浜風がざっと砂粒を吹きつけるようだった。統一感を欠いて果てしなく広がる街、これは荒れた日本海よりも凄いな。こんな場所でおれは仕事をし、暮らすことになるのか。

線名は出てこないが、車窓の風景の描写から、浩たち集団就職者たちを乗せた列車が走っているのが常磐線だということがわかる。荒川陸橋を渡った後に眼前に広がった「家の海」は、北千住から南千住、三河島あたりの、町工場と工員たちの住居が混じり、蟻の群のように人々がせわしなく出入りしている、まさに高度経済成長期の光景だったのだろう。

その後、ほどなくして列車は上野駅に到着、18番線ホームに入線する。上野駅はヨーロッパの主要駅と同じスタイルの、そこで線路が行き止まりになる終着駅感漂う地平駅部分と、山手線、京浜東北線など東京駅方面に抜ける交通のための地上駅の二層構造をなしている。地平駅は東北本線や常磐線の長距離列車の発着場所であり、中でも18番線ホームは集団就職列車が主に使った。「金の卵」と言われた中卒者の集団就職が始まったのは一九五三年。最も人数が増えたのが64年五輪の年で総勢七万八千人が東京に向かったという（大屋前掲書）。オリンピックを控えて急ぎ建設される高速道路や競技施設、河川の埋め立てなど、東京にゆけば幾らでも仕事はあった。

六四年五月、井沢八郎の歌う「あゝ上野駅」が発売され、累計売上一〇〇万枚を記録する大ヒットを飾る。

就職列車にゆられて着いた　遠いあの夜を思い出す　上野は俺らの心の駅だ　配達帰りの自転車を　とめて聞いてる国なまり

（作詞・関口義明）

列車がつくたびに受け入れ先の企業の職員と落ち合う金の卵たちが溢れた上野駅の広小路口には集団就職の時代を記念した歌碑が作られている。列車を引いてきたC62形蒸気機関車が止まる脇に、幟《のぼり》を持った案内人（引率の地元の中学教師か）と彼に率いられた若者たちの姿を描いたレリーフには、到着番線を意味する18の数字が彫り上げられている。

開高健も『ずばり東京』の中で上野駅を取り上げている。集団就職組の若者たちは首都圏各所に散り、貴重な労働力として高度経済成長を支えたとだけ紹介されることが多い中で、開高は〝金の卵神話〟の裏面を気にする。

四月になると毎年あちらこちらから少年少女が集団就職で上京してくるが、これが都の東西南北に散って一カ月もたつと、みんな郷愁に犯されていてもたってもいられなくなって、ふらふらと駅へやってくる。それを狙ってハイエナどもも集ってくる。ツケ屋、附添屋というのは、甘いことをささやいて喫茶店やオシルコ屋などにつれていったあげくに安宿へもぐりこんで膜を蹴やぶってしまうやからである。

手配師というのはいかさまな土建屋の飯場あたりにたのまれて人狩りに繰りこんでくる不《ふ》逞《てい》のやからで、こうと狙いをつけたら猟犬のようにしつこく、しぶとく、あとをつけてくる。木の芽時の青い郷愁に狂いそのかされてさまよう少年少女はもちろん、冬の農閑期に八戸、青森あたりから仕事探しに這いだしてきた百姓たちもたぶらかす。

（「〝戦後〟がよどむ上野駅」）

64年五輪に向けて改造が進む東京は、視点を変えれば地方出身者の悲哀を寄せ集めた街でもあったのだ。うまくゆかずに行方知らずになる若者もいた。都会には寄る辺のない彼らが、郷里に鉄路で繋がる上野駅にまで戻ったところで消息を絶つエピソードは物哀しい。これもまた当時の東京の一面だったのだろう。

■石炭から石油へ――エネルギー転換の置き去りに

こうして金の卵を乗せて走った常磐線は、五輪に向けて集団就職のピークを迎えた後に性格を変え始める。六八年には東北本線の全線電化と複線化が完成。勾配のきつかった線形の改良も進んだし、車両の性能も向上したので仙台以北からの長距離列車が常磐線を迂回する必要もなくなった。集団就職列車は七五年三月二四日、盛岡発の特別列車を最後に廃止されているが、その頃になると仙台以北から来る列車は主に東北線経由になっていたはずだ。

もちろん常磐線沿線と首都を結ぶ役割は残されたが、一方で石油へのエネルギー資源の転換も進んでいた。五〇年代に中東やアフリカで相次いで大油田が発見され、石油は世界的に潤沢に供給され始めていた。日本でも電力・鉄鋼・商社など約四〇社が共同で「アラビア石油」を設立。六〇年にはサウジアラビア、クウェート沖の海上油田の試油テストを行い、翌年から操業を開始して成功を収めていたし、六二年に原油の輸入が自由化されてもいる。こうしたエネルギー転換の中で、常磐炭田は徐々に生産量を減らして七六年には閉山となり、石炭を積んだ長大な貨物列車が常磐線を走る光景はみられなくなった。

そしてもうひとつ、沿線事情を大きく描き変える動きがあった。

「はじめに」に少し書いたことを詳説してみよう。後に福島県知事となる木村守江は参議院議員時代の五五年にヘルシンキで開かれた万国議員会議に参加し、原子力について知ったという。そして早くも五七年正月には支援者の前で石炭依存を脱して原子力で福島浜通りの振興を図る未来図を発表する。堤康次郎率いる国土計画が双葉郡の海岸沿いに所有していた広大な製塩所跡地を手に入れる手はずも整え、計画の実現に向けて着実に踏み出してゆく。

もちろん当時、原子力といってもも理解できる住民はほとんどいなかった。ただ背に腹は代えられない事情があった。六〇年代に入ると常磐炭田の採掘量が先細りになることは、もはや火を見るよりも明らかだった。

池田勇人内閣が六〇年に策定した国民所得倍増計画が、そこに追い打ちをかける。そこで重点開発される「太平洋ベルト地帯」は大分県から茨城県までの沿岸だった。となると茨城以北、仙台までの間が開発から取り残される。

こうして浜通りは開発の波に乗れず、石炭離れが進むなかで新たに石油資源を投入して進められる工業化の舞台にもなれなかった。幾重にも立ちはだかり始めていた未来への不安を背景に双葉、大熊の町議会は木村の構想に期待を寄せて六一年に原発誘致を決議した。

六七年に建設工事が始まると、東電社員や下請け作業員を対象にしたドライブインや喫茶店などが大量に作られるようになる。開沼博は『「フクシマ」論』(青土社)で書いている。「今までなかったモノ、ヒト、そしてカネが一気にムラを満たしていく。ムラは明らかにそれまでなかった近代的な要素を持つようになり。住民は、その舞台で演じられる成長の夢のドラマの中に身を置くようになる」。

地域の農業離れが進み、出稼ぎや集団就職で上京する必要も少なくなった。常磐《じょうばん》炭田の石炭を運ぶことをやめた常磐線は、沿線の労働力を首都圏に運ぶことで高度経済成長に資する役割からも降りることになる。

しかし浜通りと原発の関係は一筋縄ではゆかない。福島第一原発はまさに諸手を挙げて受け入れられた。だが浜通りに作られる第二、第三の原発として福島第二原発、浪江小高《おだか》原発の誘致計画が六八年に発表された後、計画を進めようとした人たちは、「県が笛を吹いて地元がおどった」「用地買収は電光石火、あっという間」だった第一原発とは対照的に苦戦を強いられるようになる。

商業運転では大阪万博の会期中に発電を開始した日本原電の敦賀原発や関西電力の美浜原発が先行したが、福島第一原発も七一年三月に初送電にこぎつけている。しかし運転を開始すると、新しい技術ゆえに想定外の事故が多発した。原発の夢が膨らんだのは原爆で被爆したがゆえに原子の力の大きさを知っていたからだった。しかし原発もまた事故が起きれば原爆と同じように人を傷つけうる、そんな現実がわかると夢は急速に色あせてゆく。

そうした状況の中で浜通りの原発計画についても見直しを求める住民運動が起き、福島第二原発はそれでもかろうじて立地が実現したが、反対派が建設予定地に土地を所有していた浪江小高原発は着手の目処も立たなかった。

■原発事故へのカウントダウン

高度経済成長を牽引していた首都・東京でも別のかたちで変化が現れていた。

東龍太郎《あずまりようたろう》都知事は五輪を成功させたが、汚職事件の発覚もあって六五年の都議会議員選挙で自民党が大敗、二年後の都知事選では社会党、共産党の推す美濃部亮吉が当選した。五輪を弾みとして急ピッチで進められた都市改造の結果、地価の高騰や人口集中による過密化、住環境の悪化などが都民に重くのしかかり、社会福祉が後手に回っていることへの反省の機運が起きていたのだ。

こうした動きを自民党政府も重く見て美濃部都知事誕生と同時期に都市政策調査会を設置し、田中角栄を会長に据えている。やがて田中は都市の過密と地方の過疎の問題を同時に解決することを謳った「日本列島改造論」を出版、七二年七月五日に佐藤栄作が後継と見込んでいた福田赳夫を破って自由民主党総裁に当選。翌日に首相の座についた。

しかし、そんな田中政権を七三年に第一次オイルショックが襲う。結果的に国は供給に不安がある石油よりも、一度核燃料を装塡すれば比較的長時間にわたって発電が可能で、プルトニウムを取り出す核サイクルを実現できれば国内に存在する使用済み燃料をエネルギー資源として利用できるようになる原子力により強い期待をかけるようになる。だが問題は反対運動の高まりで、全国的に原発や使用済燃料の再処理工場など核関係施設の新規建設が手詰まりになっていた。

そうした膠着状況を打開するために、福島と同じく東京電力の原発が作られる予定だった新潟を地元とする田中が打ち出した政策が電源三法交付金制度の設置だった。

電源三法とは電源開発促進税法・電源開発促進対策特別会計法・発電用施設周辺地域整備法のこと。電源地域の振興のために、電源開発促進税を電気料金に上乗せして徴収し、原子力発電施設、水力発電施設、地熱発電施設等を設置した地元に還流させる法律だ。

この制度が日本の原発の命運を定めた。当初は交付金のボーナス効果で膠着状態になっていたいくつかの原発建設計画が息を吹き返している。しかしカンフル剤の効き目は長くは続かなかった。

浜通りに関しては八〇年代には再び人口の流出が進む。福島県の浜通りは東北新幹線開業後、東京、仙台のいずれからも、ローカル線に格下げされた常磐線に長々と揺られて訪ねる必要のある場所となる。「時間距離」的に極めて遠い場所となり、原発関連以外の産業振興は滞っていた。地元の雇用力は増えず、結果的に離農し、都市部に家族ごと移る人が増えた。

こうして過疎化しつつあった地域を経済的に支えたのが電源三法交付金だった。が、それとても延命策以上の意味を持っていなかった。たとえば双葉町では七四年から電源三法による交付が開始され、合計額は三三億二二〇〇万円に及んだが、制度上八七年には打ち切られている。資産税は七九年より計上され、九〇年までで合計一六五億六〇〇〇万円となったがピークは八三年であり、償却が進むにつれて減少の一途をたどり、双葉町は九〇年に地方交付税の交付団体、つまり〝赤字〟地方自治体に転落した。

危機感を抱いた双葉町議会は九一年九月二五日、八時間の審議を経て全会一致で増設誘致決議を採択した。電源三法交付金の先細りに苦しむ地元にしてみれば新たな交付金と固定資産税収入が望める増炉は様々な困難を一気に解決する魔法のように感じられていたのだろう。

一方、交付金のボーナス効果をもってしても新規立地の獲得が困難になっていた電力会社にしてみれば、すでに取得した原発用地内に増炉するのでも発電量を増やす目的は叶えられる。

こうして両者の思惑が交錯するところに増炉という選択があった。ゲーム理論的に言えばそれこそが均衡点だったのだ。東京電力は地元の誘致に対して「感謝にたえない。着実に進める」と回答、九四年七月一日、佐藤栄佐久県知事と会談をした荒木浩東電社長（いずれも当時）は七、八号機の増炉計画を伝えるとともに浜通りにＪリーグナショナルトレーニングセンター（後のＪビレッジ）の建設案を示し、感謝を具体的なかたちに表した。

二〇一一年三月一一日に原発事故が起きたのは、こうした歴史を歩んできた場所だった。もしも反原発運動に包囲された電力会社がサイト内増炉の選択をしていなかったら、そしてそれを地元が認めていなかったら、３・１１の原発事故は違う様相を呈していたかもしれない。地震によって送電線を断ち切られ、全電源喪失状態の中で密集する六基もの原発の冷却能力を保持することは困難だった。結果的に一〜三号機が炉心溶解から水素爆発を発生させ、放射線を周囲に飛散させた。

原発事故後、七、八号増炉よりも先に完成していたＪビレッジが事故対応の緊急車両の発進基地として使われる光景をテレビのニュースで見たときにはなんという歴史の皮肉かと思った。3・11から九年経って、そんなJビレッジが今度は復興五輪の聖火リレーの幕を切って落とす場所にもなる。

それにしても、と筆者はため息をつきながら思うのだ。復興とは何なのだろう、と。ここで大急ぎで歴史を顧みただけでも、原発事故はこの地域の不遇の始まりではなく、むしろ結果であることがわかるだろう。復興五輪はこうした常磐線沿線地域の歴史を正しく踏まえ、未来に向けて地域を再スタートさせるものになるのか。ぜひ取材で現地を訪れ、自分の目で確かめたいと思った。

しかし、その時点で既に不吉な便りも届いていたのだ。

■コロナ来たりて五輪遠のく

一月二三日の新聞にはこんな記事が出ていた。

中国湖北省武漢市を中心に新型コロナウイルスによる肺炎が広がっている問題で、中国政府は22日、「ウイルスは変異する可能性があり、さらに拡散するリスクがある」との見解を示した。中国国内での死者は17人となり、感染者は540人を超えた。香港・マカオや米国などでも感染者が確認され、感染範囲の拡大が続いている。

22日に会見した国家衛生健康委員会の李斌副主任は、新型肺炎の「ヒトからヒトへの感染が認められる」と言明。その根拠として医療従事者の感染のほか、特定の範囲の地域コミュニティーでも感染が発生していることを挙げた。感染経路は気道感染が主だとも述べ、「多くの人が移動する春節期間、警戒をより高めてほしい」と呼びかけた。（『朝日新聞』）

翌日、武漢市は突如、市外に向かう鉄道駅や空港を閉鎖、市内の公共交通機関を停止させた。これ以上の感染拡大を封じ込めるためだった。この突然の都市封鎖は世界を仰天させた。一つの街を丸ごと周辺から遮断してしまうとは……。民主主義国家であれば移動の自由は基本的人権の一つに数えられる。都市封鎖など許されないはず。それに、感染症流行のただ中に閉じ込められた側にしてみればたまったものではないだろう。そんな感想が多数派だった。

この日、日本でコロナはまだまだ対岸の火事だった。しかし翌日には事態が変わる。以下、日記風に何が起きたかを記録してゆこう。

一月二四日。東京都は一般会計が七兆三五四〇億円に上る新年度予算案を発表したが、その際に小池都知事は五輪開幕日の七月二四日まで、ちょうど半年となったことに触れ、「東京2020大会を確実に成功させる予算」だと述べている。五輪開催が危うくなることなど想像もしていなかった。

しかし国境を超えて多くの人とものが行き交うグローバル化した社会で、感染症はあっけなく国境をまたぎ超える。武漢市を封鎖しただけではその蔓延は防げなかった。同日、都市封鎖以前に出発し、東京を旅行で訪れていた武漢在住の中国人男性の新型コロナ感染が判明した。本書「五輪はなぜか感染症と縁がある」の章ではエボラウイルス持ち込みが発表された後の騒動を取り上げたが、新型コロナウイルスは既にこの時点で日本国内に上陸していたのだ。

一月二八日。ついに日本人の感染も報告される。奈良県に住む六〇代の日本人男性には中国への渡航歴がなかった。ただ封鎖前の一月中旬に武漢から日本旅行に来ていたツアー客を乗せたバスを運転しており、車内かツアーの行程での感染が推測された。

一月二九日。封鎖された武漢市で孤立する日本人を帰国させるために政府がチャーターした第一便が邦人二〇六人を乗せ、午前八時四〇分過ぎに羽田に着いた。機内では、医師や検疫官が検査し、無症状の人は政府が用意したバスで国立国際医療研究センターに移った。一般の患者や外来受診者と離れた場所で改めてPCR検査をし、陰性と分かるまで千葉県勝浦市のホテルで待機させる。政府関係者によると、「一棟丸ごと使える宿泊施設」を探し、「勝浦ホテル三日月」に白羽の矢が立った。官邸幹部は「温泉でゆっくり過ごしてもらうのもいいと考えた」と帰国者の待遇を重視した選定だったことを明かす。

しかし温泉三昧はいいが、病気になってはたまったものではない。二〇六人に対し、ホテルが用意できたのは約一七〇室で、約二〇組が相部屋になるという簡単な算数すら、優秀な日本の官僚の手には余ったようだ。三〇日には案の定、相部屋で二人の感染が判明。結局、個室で滞在できない宿泊者の一部を警察大学校（東京都府中市）に移す事態となった。

第二便以降の受け入れ先は、風評被害の懸念から公的施設となった。しかし、その一つである西ケ原研修合同庁舎は部屋の定員割は問題なかったが、風呂が共用だった。そのため、いったん受け入れた帰国者に、部屋風呂のある国税庁税務大学校和光校舎（埼玉県和光市）に移ってもらう一幕もあった。

その後の流れを予感させる出来事も起きていた。第一便で帰国した人のうち、症状の無い二人が帰国後の検査に同意しなかったのだ。検疫官が自宅に送り届け、今後も健康状態を確認することになったが、「リスクを街に放つのか」と猛烈なバッシングが起きる。一部の人がリスクゼロを求めて暴走し始めていた。

以後、武漢から邦人を移送するチャーター機は五便を数えることになる。

二月三日。イギリス船籍のクルーズ船「ダイヤモンド・プリンセス」が横浜港に帰港した。前月二〇日に横浜港を出発、香港、ベトナム、台湾、沖縄を優雅に周遊していたが、一月二五日に香港で下船した八〇歳男性乗客が三〇日に発熱、二月一日に新型コロナウイルス陽性だと確認されていた。船室内は密室空間となるし、夜な夜なイベントが繰り広げられる豪華クルーズの売りがむしろ高リスク状況を招き、乗客、乗員に感染がひろがっている可能性が高かった。

政府は着岸させて検疫を行うこととし、船内に乗客、乗員を留めて、検疫官が検査する方法を選んだ。四日かけて健康診断が行われ、有症状者とその濃厚接触者をＰＣＲ検査すると、当初一〇人の感染者が確認され、神奈川県内の医療機関に全員が搬送された。その後も検査をすれば感染者が続々と出て対応に追われるようになる。

二月一三日。男性タクシー運転手の新型コロナ感染が判明。一カ月前に屋形船で開かれたタクシー組合支部による新年会に出席した直後から体調を崩し、一月二七日には肺炎と診断されて入院していた。その後、新年会の参加者らタクシー組合関係者の感染が次々に判明し、クラスターが発生したとみなされた。同日、新型コロナウイルスによる肺炎で神奈川県在住の八〇代の日本人女性が死亡。国内初の死者。高齢化社会で先送りされていた死が急に身近に迫ろうとしていた。

二月一八日深夜。神戸大医学部感染症内科・岩田健太郎教授がYouTubeに自撮りで登場。ダイヤモンド・プリンセスの船内の様子を「培養シャーレのようだった」と表現する。岩田は旧知の医師に頼んで災害派遣医療チーム（ＤＭＡＴ）の一員として乗船を果たす。そこで目撃したのはウイルスに汚染された場所と清浄な場所を隔てる基本すら守られていない船内の光景だった。動画は世界中から注目されて一晩で一〇〇万回以上視聴された。

二月一九日。クルーズ船内三〇一一人のウイルス検査が終了し、一四日間の健康観察期間も終えたとして、乗客の下船が始まった。下船後は専用バスで複数のターミナル駅まで移動し、それぞれ公共交通機関などで帰宅していた。

厚生労働省は、船内で最初に感染者が確認され検疫が実施された五日以降、船内での感染は広がっていなかったと説明したが、前述の岩田医師の告発動画のインパクトもあり、感染症を野に放つに等しいと批判される。

実際、後になって五日の室内待機以降も感染が続いていた可能性がアメリカ疾病予防管理センターや国立感染症研究所などにより指摘されている。リスクを少しでも低く見積もりたい思惑がみえみえの政府と、日常生活の維持が困難になるリスクゼロまで求めて感染可能性のある人や施設等に対して暴力的な排除の姿勢をみせる人びととの二極化が始まっていた。

二月二四日。全国の感染者は累計で一六〇人。専門家会議が「今後一～二週間が瀬戸際」との見方を示す。政府もそれにならって「瀬戸際」発言を壊れたテープレコーダーのようにオウム返しし続け、いつまで瀬戸際なのかと反発を受ける。

二月二八日。前日から一〇人超えが続き、感染者が急増した北海道で知事が道内に行動の自粛を要請する「緊急事態」を宣言。

三月二日。安倍総理大臣が二月二七日に突然、休校要請を言い出したのを受けて全国の小中高の一斉休校が始まる。

突然、学校が休みになった子供の世話をするために仕事を休まざるを得なくなる医療関係者が出て、政府が医療崩壊に貢献する本末転倒の結果にもなった。

三月五日。四月に予定されていた中国の習近平国家主席の国賓としての来日が当面延期されると政府が正式発表。日中両政府は新型コロナウイルスの感染拡大を受け、準備を円滑に進められないと判断したとのこと。

三月九日。中国と韓国からの入国制限強化が始まった。当初、習近平の訪日が予定されていたので、それ以前に中国との国境を閉じてしまうと習主席のみ特別扱いかと野党やメディアに批判されるのを政府が恐れており、訪日中止になったのでようやく踏み切れた様子が窺える。感染症対策はしばしば政治によって歪まされている。

三月一一日。WHO＝世界保健機関のテドロス事務局長は「新型コロナウイルスはパンデミック（＝世界的流行）」という認識を示した。この頃には欧米でも感染者が急増。日に数百人が死ぬことも。欧米の多くの国が都市ロックダウンを実施。ロンドンやパリ、ニューヨークの街角から人影が消えた。武漢封鎖を人権後進国の愚行と冷笑していた自由主義国も、感染の恐怖を前に移動の自由をあっけなく放棄した。

三月一二日。ギリシャでは東京オリンピックの聖火の採火式が、観客を入れずに行われた。オリンピック委員会のバッハ会長は大会を予定どおり開催する考えを改めて示している。

■常磐線全通の朝、消えた聖火リレー

三月一四日。朝から上野駅に出掛ける。八時発のスーパーひたち3号を見送るためだ。この列車は、九年ぶりに全線での運転を再開した常磐線で、これまで終着駅だったいわき駅を過ぎて仙台まで走る一番列車となる。

当初はこのタイミングで浜通りに取材に行って、営業を再開する双葉駅などで通過する列車を見ようと思っていた。しかし、どの駅でも予定されていたセレモニーはコロナ対策で軒並み中止になっていた。

ひたち3号は上野始発なので出発時間前にホームに入線していた。車体には「つながる常磐

9年ぶりに常磐線全線開通を迎えたJR上野駅の朝（撮影：著者）

線」の記念ペイントが施されていた。17番線は現在の上野地平駅では一番端となる。東北新幹線の駅が地下に作られたときに19、20番線がまず廃止され、跡地に地下へ降りてゆくエレベーターが設置された。その後、しばらく18番線は残されていたが、一九九九年に利用が停止されて線路が撤去された。地下の新幹線ホームは19番から始まるので、18番は高度成長を支えた集団就職の時代へ敬意を示すためではないだろうが、欠番になっている。

今は線路があった部分を覆うようにホームが作られている。駅員詰め所への通路になっているほか、ホーム上に作られ、日本唯一を謳う〝駅ナカ〟フィットネスクラブ「ジェクサー・フィットネス&スパ上野」の入口がある。

新路線を敷くとか、新駅を作るとか威勢のよい約束をして票を集めた地方出身議員に圧力をかけられ、赤字路線を散々作らされた国鉄が膨大な負債を残して民営化された後、一転して商売上手となったＪＲは駅の外の施設に乗降客が流れる前にキャッチできる駅ナカに様々な商業施設を作って、独占的なビジネスを展開するようになる。このフィットネスクラブも例外ではない。

フィットネスクラブは七時から営業を開始しているはずだ

が、17番ホームに徐々に集まり始めた人たちはジム通いのために早起きしたわけではない。彼らは先頭車両の前での撮影に夢中な〝撮り鉄〟であり、運転再開記念乗車券を手に入れて、撮影を終えると颯爽と車内に乗り込んでゆく〝乗り鉄〟だった。

結果としてホームはある程度の混雑になっていたが、何の匂いも感じていない自分にふと気づいた。コロナの嗅覚障害ではなく、マスクをしていたせいでもない。〝鉄〟もまた今の若者であり、数日間風呂に入らなかったり、下宿で洗濯した生乾きのままのシャツを来てくるわけでもない。集団就職の哀愁の名残すら消えた上野駅地平ホームは、新幹線駅と同じ気配が漂う、デオドラントされた場所になっていた。

定刻の八時、一昔前のゲーム音楽のような気の抜けた電子音で奏でられる「あゝ、上野駅」の発車メロディーに送られてひたち3号が静かに走り出す。

ホームの向こう側の元18番線跡には「祝・常磐線全線運転再開。出発進行」のペナントが掲げられ、数人の駅員が見送っていた。記念すべき全通後初列車なので業務命令でやっていたのだろうが、列車が行ってしまうとあっさりと踵を返して通常業務に戻る駅員が多い中で、一人の駅員だけが日暮里方面に遠く走り去って列車が見えなくなるまで手を振り続けていた。線路を渡るわけにもゆかず、話を聞くことはできなかったが、何か特別な思いがあったのだろう。

三月一九日。政府は一斉休校要請の解除を発表。もう大丈夫なのだという安堵感が広まり、その後、春分の日を挟む二十二日までの連休で人出がどっと増える。

三月二二日。ＩＯＣは大会の延期を含めた検討を始め、「四週間以内」に結論を出すと発表。日本を除く各国のオリンピック委員会からは「遅すぎる」「早急に結論を」「延期が望ましい」などといった声が上がった。

三月二三日。安倍晋三首相が、東京五輪・パラリンピックの延期容認に初めて言及した。その二時間後、小池百合子・東京都知事が「都市の封鎖、いわゆる『ロックダウン』など強力な措置を取らざるを得ない状況が出てくる」と発言。その後の記者会見では「今後三週間がオーバーシュート（患者の爆発的急増の意味）への重要な分かれ道」と危機感をアピールした。

三月二四日。安倍総理大臣とＩＯＣのバッハ会長が電話会談を行い、東京オリンピック・パラリンピックを一年程度延期し、遅くとも来年夏までに開催することで合意する。二〇二〇年の東京五輪開催の息の根を新型コロナウイルスが止めたのだ。

三月二六日。64年五輪前のポリオの記憶（第7章参照）などもはや失われている。感染症禍をはじめて経験する子供のように怯えて混乱する東京を離れて一人で浜通りに向かった。うつす、うつされる感染リスクを考えて自分のクルマで出かけ、人がいる場所ではトイレ以外、車外に出なかった。そこまでしても、本来であれば復興五輪の聖火リレーが行われていた日に自分の目で現地を見ておきたかった。

前日夜に再び緊急会見を開いた小池都知事は、今度は「感染爆発　重大局面」と印字されたボードを掲げた。「何もしないでこのままの推移が続けば、ロックダウンを招く」。改めてそう語気を強めると、東京都民に対し、夜間や週末の「不要不急」の外出や県境をまたぐ不要不急の移動の自粛などを要請した。アポなし（役場など現地側は東京からの出張者を受け入れることを望まなかった）の、現地を見て歩くだけの取材に自粛要請の翌日に出るのには若干の後ろめたさもあったが、今、見ておくべきものを見にゆくのだ、これは不要不急の行為ではないはずだ、と車内で自分に言い聞かせる。

Ｊビレッジは早くも片付けが終わったのか、あるいは中止発表のタイミングからそもそも聖火を迎える準備自体がなされなかったのか、まったくもって普段と変わるところがなかった。Ｊビレッジのエリアの裏手に常磐線の新駅を作って利用者の便宜を図ったが、新しい駅舎を聖火リレーの観客が使うことはなかった。

六号線は３・11後、ガイガーカウンター持参で何度も走って来た。沿道には廃炉作業員宿舎としてリニューアルされたラブホやコンビニもあるが、地震で壊れたまま放置されている元量販店の建物やガソリンスタンドも混じる。富岡駅の周辺は少しずつ開発が進み、戸建て建売の新築住

夜ノ森駅前。列車が出ると静寂がやって来る（撮影：著者）

宅も増えているが、人気はない。以前はＪＲの不通区間をつなぐ代行バスの到着時間に乗り換え客が駅前に並ぶ光景が見られたが、全通でそれもなくなり、かえって寂しく感じてしまう。

営業を再開した夜ノ森駅に行ってみた。

原発事故で自宅が帰宅困難区域に入り、東京に避難していた女子学生を、以前務めていた大学のゼミで受け入れたことがあった。入学当初こそ硬い殻の中に閉じこもっているかのようだったが、学年が進むにつれて少しずつ自分の生い立ちを話してくれるようになった。子供の頃、春になれば家族連れで夜ノ森の桜を見に行ったという。

いつか避難指示が解除された日に、この学生の案内で桜が見たい、そう思って来たので、下見をしようと思った。桜の季節にはまだ早く、固く閉じていた蕾《つぼみ》は、初めて会った頃の、怯えて身を固くした学生のようだった。

固く閉じていたのは桜の蕾だけではない。街全体に同じ印象を覚える。夜ノ森駅の駅舎は新しく建て替えられていた。時刻表に記載される列車の本数は指折り数えられるほどだった。新建材の匂いが漂うような駅舎は列車が出てしまうと、深い静寂に支配される。それもそのはず、駅前に向かう道こそ開通していたが、その沿道は除染が済んでいないため、立入禁止区画が多く残されている。周辺に人影はなく、駅が地域コミュニティの核になることもなさそうだった。

思い出されるのは二〇一三年九月七日のＩＯＣ総会での安倍晋三首相のスピーチだ。「フクシマについて、私から保証をいたします。状況は、統御されています。東京には、いかなる悪影響にしろ、これまで及ぼしたことはなく、今後とも、及ぼすことはありません」。その言葉に耳を疑った人も多かった。事故後の福島第一原発の状況が統御されている？　地下水は原発奥の山側から容赦なく原発敷地内に流れ込み、事故で原子炉容器内に溶け落ちた燃料棒に触れて放射能を帯びて流れ出す。その汚染水を、ギリシャ神話のシジフォスのように、延々とタンクに収め続けているのが、廃炉作業の現実だ。敷地の中には増設に増設を重ねたタンクがどんどん増えて地平線まで見渡す限り広がっている。それを「統御されている」と表現するのか？

この演説は英語でなされ、「統御されている」の原語は「アンダーコントロール」だった。確かにアンダーコントロールという言葉は、現状がいかに悲劇的であっても、それをコントロールする意思があれば使える表現だ。安倍首相は原発事故現場を放置しないという意思を表明したのだとすれば、英語的には意味は通る。もちろん相手が原発事故の場合、アンダーコントロールの意思は気が遠くなるほどの時間、継続しなければならない。溶け落ちた核燃料を安全に搬出できるまでは、放射線を封じ込め続ける必要があるし、搬出した後も安全に処分するための困難な手続きが求められる。

だが、事故から九年目に浜通りを訪ねてみて、このアンダーコントロールはあまりにも恣意的な表現だったと改めて思う。たとえば復興五輪を盛り上げる〝目玉〟として常磐線を全通させ、駅を復活させるために最低限の除染を行う。そうして復興イメージを演出する作業にも確かにコントロールは機能している。しかし、それは隠蔽し、粉飾するという意味でのコントロールだ。この地区の出身者、関係者の心情を思えば、辛い表現になるが、除染の進まないエリアは事実としてまだ生者の還れない場所だった。そんな現実をなかったことにするかのように放置する一方で復興五輪を謳い上げる。

六号線沿いには東京電力廃炉資料館が建つ。かつての福島第二原発をPRするエネルギー館として作られた建物を事故後もそのまま使っている。以前は「原子力の未来」を明るく謳っていたはずだが、今は「福島原子力事故の事実と廃炉事業の現状等をご確認いただける場」となっていた。

そんな資料館も、この日はコロナウイルス感染症の流行の中で休館中だった。

福島県ではまだ感染者はわずかしか出ていなかったが、ドラッグストアにマスク、消毒液の品

廃炉資料館は感染症対策で休業中だった（撮影：著者）

切れ表示が掲げられているのは東京と同じだった。常磐線運転再開セレモニーが軒並み中止されていたこともそうだが、感染症の実体より先に恐怖が全国に広がっており、日常生活を侵食しはじめていた。

かつて日本の原子力技術受容の歴史を扱った『核論』（勁草書房→中公文庫）を刊行したとき、原発推進派と原発反対派の力がぶつかって均衡するポイントが既存原発敷地内での増炉となっている現状について、こうしてリスクを増やしているといつか原発事故が起きると筆者は書いた。またハンセン病の医療史をテーマに『隔離という病』（講談社→中公文庫）を書いたときには、平時に感染症対策のシステムを作っておかないと、いざ病気が流行り始めれば恐怖に駆られてパニックになってしまい、まともな感染症対策もできないと指摘していた。

いずれも予言が外れてほしいと願いつつ書いていたが、残念なことにふたつとも的中してしまった。新型コロナ感染症のために休館している廃炉資料館は両者が重なる場所に位置する象徴的存在のように思える。九年前、このあたりに日常生活があった最後の日、午前中は晴れており、午後になるにつれて天気が悪化していったという。聖火リレーが行われるはずだった日は午後までよく晴れたリレー見学日和だった。空振りした好天の日に駐車場に落ちる自分の影を見ながら、誰もいない休館中の建物入口の前にしばし立ち尽くす。

もしも、と、考える。遅ればせながらコロナ感染症の対策が進み、一年延期で五輪が実現したら、復興五輪というキーワードはあっさり忘却され、今度はコロナ制圧五輪とでも呼び替えられるのだろうか。政治が言葉の技術であることは間違いないが、それは言葉を弄ぶゲームという意味ではないはずだ。

■マスクの彼方にせり上がるもの

三月二九日。東京は遅い春の雪。春分の日前後の三連休から一転して、知事に外出自粛を言われていなくても出かけにくい空模様の週末となった。ニュースでは立入禁止のロープが張られ、人気の途絶えた上野公園の光景がしばしば映し出される。福島より早く開花していた桜の花に静かに雪が降り積もっていた。

太郎を眠らせ、太郎の屋根に雪ふりつむ。
次郎を眠らせ、次郎の屋根に雪ふりつむ。

三好達治「雪」

四月一日。この日から緊急事態宣言が出るというデマがソーシャルメディアで拡散。夕方に首相会見があり、さてはそこでと思わせたが、発表内容は予想外の「布製マスクを全戸に配る」というもの。確かに解消されていないマスク不足への対策が求められていたのは事実だが、感染予防性能の低い、「昔、こういうのあったよね」という感じの小さなガーゼ製の布マスクを配ると言い出した政府に「エイプリルフールか」との罵声が浴びせかけられる。ツイッターでは、アベノミクスをもじった「#アベノマスク」というハッシュタグがトレンドランキングの一位に。

四月七日。結局、世論に押されるように安倍首相が感染者の多い七都府県に緊急事態宣言を出す。

四月八日。安倍首相会見。

昨日、緊急事態宣言を発出いたしましたが、今日から多くの方々に御協力をいただいていることに感謝申し上げたいと思います。

たくさんの会社の方々が、今日から多く自宅勤務という形に変えていただいているというふうに伺っております。こういう皆様の御協力があって初めて一ヶ月でこの緊急事態宣言を脱出することが可能となると思っております。最低七割、極力八割、人との接触を減らしていただければ、必ず我々はこの事態を乗り越えることができる、とこう思っております。
これからも国民皆様方の御協力をよろしくお願いしたいと思います。

透明なスクリーンなのでテレビ画面には映らないが、首相の眼前にはプロンプタと呼ばれる原稿投影装置が置かれており、原稿を見ながら語れば、それはテレビ画面の向こう側にいる国民を見て語りかけているかのように映る。この頃には、街中の店舗などでは透明アクリル板の仕切りを設けてウイルスを含む飛沫を遮断する工夫が盛んになされるようになっていたが、首相の場合、言葉自体がプロンプタの透明なスクリーンに遮断され、声が一段と遠くに響く印象だ。

四月一三日。上野駅に近い永寿総合病院では前月二三日、入院患者二人にCOVID-19陽性が確認されて以後、院内での感染者数が増加、入院・退院患者一〇七人、医療従事者ら七三人、計一八〇人の陽性者が確認された（最終的には二一四人が感染し、四三人が死亡したと報告された）。

四月二五日。感染者数が増える一方の一都三県の知事が連名で大型連休の五月六日までを**STAY HOME**週間とすると宣言。

五月三日。 帰省していた山梨県内でＰＣＲ検査を受けていた東京都の二〇代女性が二日に新型コロナウイルス陽性の結果が出た後に高速バスに乗って帰京していたことが発覚。女性は「飼っている犬が心配だった」と説明したが、それも火に油を注いで痛烈なバッシングに見舞われる。

五月六日。 連休最終日は例年なら帰りの大渋滞が発生しておかしくないが、ニュースで流れた高速道路はガラガラ。死亡事故ゼロだったという。

五月一四日。 感染予防のための行動自粛をしていない人や、休業要請に従わない店に嫌がらせをしたりする、「自粛警察」という言葉を新聞（朝日）で初めて見た。もちろんそれ以前より広く人口に膾炙していたものが記事になっただけだが。記事によれば「公園でバーベキューをし」「スケートボードのために人が屋外に集まってい」れば警察に通報し、「休業要請に従わず営業しているパチンコ店」には容赦のない苦情電話を入れ、「バスの車内で咳」でもしようものなら口論になること必至だという。感染症恐怖の中でリスク源となりそうなものは容赦なく排除しようとする不寛容な社会が出来上がりつつある。差別し、排除しようとする動きは、自分たちの暮らしや安全を支えてくれているスーパーの店員や医療関係者にまで及ぶ。怖がりすぎても、怖がらなさすぎても社会は感染症に脆弱となる。怖がりすぎればあらゆることに猜疑的となって人間関係が崩壊し、社会生活が立ち行かなくなる。怖がらなさすぎる者は、自らの遺伝子を広め、生きながらえたいと望むウイルスの狡知に操られるかのように感染症を自発的に広めてゆく。そこで、もっともしなやかで強い〝ほど良さ〟が失われてゆく。

五月一六日。 緊急事態宣言後の接触八割減を目指す行動変容の成果が出て感染者数は激減。首都圏、京都、大阪、兵庫、北海道を除く三九の府県で緊急事態宣言が解除される。

五月二五日。 解除されずに残っていた東京都・埼玉・神奈川県を含めて緊急事態宣言が解除された。首相官邸での記者会見で安倍首相は「世界的にも極めて厳しいレベルで定めた解除基準を、全国的にクリアしたと判断した。日本ならではのやり方で、わずか1カ月半で今回の流行をほぼ収束させることができた。日本モデルの力を示した」と述べた。

ここまでで東京都の死亡者数は累計で二八八人。全国では八四六人（『東洋経済ONLINE』新型コロナウイルス国内感染の状況）となっていた。確かに欧米に比べれば死者の実数は少ないが、面会もかなわぬまま一人で死んでゆかなければならない患者の悲しさ、心細さ、見送れなかった家族の悔しさ、喪失感の深さはどの国の、どの犠牲者でも変わるものではない。こうした現実を前にして、ただ数だけを相手に「日本モデル」と自画自賛できてしまう心性はどこから湧き出すのだろう。

要するに国民を血の通う体温を持った人間として見られなくなっているのではないか。一九六一年、開高健が書いた広告コピーが有名な「人間らしくやりたいナ／トリスを飲んで／人間らしくやりたいナ／人間なんだからナ」だった。コロナ禍のなかにいて改めて「人間らしくやりたい」「人間なんだから」と切に思い、願う。

■コロナと『パニック』

緊急事態宣言解除に至った政府の様子を見て思い出した開高作品は『ずばり東京』ではなく、『パニック』だった。一九五七年二月八日に『朝日新聞』夕刊の科学欄に掲載された「木曽谷ネズミ騒動期」——一二〇年周期で笹の花が一斉に咲き、実がつく。それを食べてネズミが大発生する様子を書いた記事——を読んでインスピレーションを受けた開高が発表した作品で、主人公である県庁の山林課職員が、一二〇年ぶりの豊作となったササの実を食べたネズミが冬の間、大地を厚く覆う雪の下で大量発生していることに気づいている、という設定だ。

春になって姿を現し始めた飢えたネズミの群れが人々を襲い始める。炭焼小屋の藁屋根を一晩のうちに食い尽くし、農家の納屋に寝かせていた赤ん坊のノドから血まみれになってネズミが三匹飛び出してきたといったニュースが連日のように流され、街はパニック状態になる。

しかし、そこで開高が最も恐るべきものとして書いたのはネズミの群れではない。役人集団の腐敗ぶりだった。大量発生したネズミによる被害発生を予想していた職員が一刻も早い対策を求めて局長に直訴した上申書は、眼を通されることなく、職員の直属の上司である課長に渡され、課長は自分の頭ごしに書類のやり取りがあったことに憤慨し、対策の検討を怠る。

新型コロナに対しても官庁や官邸では同じようなことがあったのではないか。そう思わせる描写が続いた先に見事に二〇二〇年の日本とシンクロするエピソードが登場する。

被害が深刻化して、直訴状を手にしていながら早めの対策に着手しなかったミスを認めて謝った局長は、職員が小学生を動員して殺鼠剤入りの餌を撒かせたことを高く評価してみせる。しかし、今後も繰り返し作業を実施したいという職員に対して、柾目《まさめ》模様のダンヒルのパイプから煙をくゆらせながら「一回でいい。もう一回でいい」と言う。そして、その成果を大々的にニュースで取り上げさせた後、対策委員会を解散させると伝えた。ネズミはもはや全滅したとして終戦宣言を出すのだ、と。

今回も同じ轍が踏まれていたとはいえないだろうか。政府は見事な采配でコロナを制圧した。感染症はもうなくなったのだと宣言する。しかし緊急事態宣言が解除される前から街の人出は増え始めており、実効再生産数（一人の感染者が何人に感染させるかの数値）は1を超えて増加傾向にあった。つまり感染は増えてゆく傾向にあった。にもかかわらずここで緊急事態宣言を解除したのは、感染者数が底を打ったタイミングを逃がさずに、景気不安の責任を取らされかねない自粛要請を止めておきたいという意図が透かし見える。

そして『パニック』の鼠害が偽りの終戦宣言で幕を引かなかったのと同じように、新型コロナも抑えきれなかった第一波の市中感染者から再び感染が広がってゆく。

官邸主導の名の下に官僚を支配し、日銀や検察庁といった独立性を求められる組織すらも意のままに操る「アンダーコントロール」状態に置く。そんな体制の完成が安倍政権の到達点だったとすれば、政治家側に全能感が育まれ、民衆側にもはや隷属以外を選べないと諦める「服従のデフォルト・スタンダード」化が起きることも理解できる。政府見解次第で二＋二が三にも五にもなるオーウェル『一九八四年』の世界と同じく、政府が公式見解を提示すれば、そこに、たとえ算数レベルの間違いが含まれていようと日本社会はその見方に従って動き出す。そしてネズミの大群のように深い淵に雪崩落ちてゆく。


五月二九日。航空自衛隊のブルーインパルスが東京の都心上空で編隊飛行を行った。五機のジェット機が青空のキャンバスにスモークをなびかせる。新型コロナウイルスに対応する医療従事者に感謝を伝えるためのセレモニーと説明された。64年五輪でのブルーインパルスの飛行は伝説になっているが、五輪が延期になって開会式で飛ぶはずが意外な登場の仕方となった。

だが、お祭り気分は長続きせず、コロナ対応で臨戦態勢を取らされただけでなく、通常の診療にも支障を来して深く疲弊していた医療機関はこの後、体制を整える間もなく、再燃する第一波への対応を余儀なくされてゆく。

六月一日。緊急事態宣言が解除された首都圏では約三カ月ぶりに授業が再開された。「3密」を避け、クラスを二分割して一教室二〇人以下を徹底させる。三年生の教室では、間隔を空けて座席に着くと、教員が「手洗いの後は必ずハンカチで拭きましょう」と呼びかけた。この日は、三〇分授業を二コマ受けて、下校する。卒業や受験を控える小六、中三、入学直後の小一を優先的に分散登校させることを求め、小六、中三、高三以外には学習内容の次年度繰り越しを認めた。しかし結果として子供の感染が散発的に発生し、クラスターを形成したこともあった。

六月三日。感染者クラスターを形成しているのは接待を伴う飲食店だと言われるようになる。「夜の街」という表現が日常的に使われるようになり、職業差別的な扱いを受けるようになる。

六月一八日。都知事選告示。現職・新顔の二一人が立候補を届け出た。れいわ新選組代表の山本太郎は新宿駅南口近くで「新型コロナを災害として認定して、都民の暮らしを底上げする」と第一声。現職の小池百合子はオンライン動画で「都民の未来を守るため、私は闘いつづけます」と語った。日弁連元会長の宇都宮健児は都庁近くで「都民の命や暮らし、人権を重視する社会にしなければならない」と訴えた。

六月一九日。検査陽性者との濃厚接触があれば所持しているスマホに蓄積された履歴を遡って調べられる接触確認アプリの提供が始まる。政府が提供すると個人情報を密かに収集しているのではないかと疑惑をもたれ、利用者が増えないことを懸念して当初、プログラマ有志が作ったNPO組織であるコード・フォー・ジャパンがアプリの制作を進めていたが一転して厚労省が主体となった制作にかわり、COCOAと銘打って提供される。突然、官製に鞍替えしたのは、表向きこそアプリのインフラ技術を提供する米国のアップルとグーグルの意向だと説明されていたが、本当のところはIT利用で見事にコロナを制圧した台湾政府へのコンプレックスや、もし感染者が増えだしたら情報を統制する必要もあるからと考えたからではなかったか。

確かに台湾は都市ロックダウンなしに普段通りの生活を取り戻しているし、韓国も制圧にほぼ成功している。他の国で使えた方法をそのまま適用するわけにはゆかないが、何が悪いかの敗因分析は必要だろう。にもかかわらず政府は、検証するのは流行が収束してからと言って聞かない。

六月二三日。沖縄慰霊の日。同日にスーパーコンピュータ「富岳」が世界一になったニュースも。この後、富岳は新薬開発やら飛沫分散シミュレーションやらに駆り出され、富岳を使っているなら大丈夫という妙な安心感を醸成する。第二次大戦中に勇ましい大本営発表ネタにしばしば富士山の映像が組み合わされたのと似たような構図だ。

七月五日。東京都知事選。開票が始まった直後、早々に小池現都知事の再選が確実と報じられる。選挙期間中、一度もタスキに袖を通さずオンラインでメッセージを伝え続けた小池はここでもネットのライブ配信でメッセージを送った。「都民の力強い支援を大変うれしく感じている。同時に、大切な二期目の重責を感じている」。新型コロナの「3密」を防ぐためとして都民ファーストの会事務所に支持者は呼ばず、万歳三唱もなし。「首都のコロナ対策の責任者」であることを最後までアピールした。結果的に前回の得票二九一万を上回る三六六万票を獲得した圧倒的勝利だった。

七月一〇日。新型コロナウイルスの影響で急減した消費を喚起する政府の「Ｇｏ　Ｔｏ　キャンペーン」のうち観光分野の補助制度「Ｇｏ　Ｔｏ　トラベル」について、赤羽一嘉国土交通相は七月二二日から一部を先行して始めると発表した。「ステイと言われたり、ゴーと言われたり、おれたちは犬か」というＳＮＳの書き込みに苦笑させられる。

七月一六日。「Ｇｏ　Ｔｏ　トラベル」で、東京を発着する旅行をキャンペーンが対象から外されることが明らかになる。東京都や都市部を中心に新型コロナウイルスの感染がとどまらない中、各地の首長らが延期や見直しを求める声を上げていたことを受けた。

七月二三日。一年延期で五輪が開催されれば、この日がちょうど一年前に当たるということで、

開会式が行われるはずだった日（撮影：著者）

新国立競技場で記念イベントが開催された。登場したのは白血病からの復帰をめざす競泳女子の池江璃花子選手。無観客の巨大なスタジアムの中にたった一人で立ち、カメラに向かって世界に向けてメッセージを発信した。手には聖火を携えている。
「希望が遠くに輝いているからこそ、どんなにつらくても、前を向いて頑張れる。私の場合、もう一度プールに戻りたい、その一心でつらい治療を乗り越えることができました」。そして、「一年後のきょう、この場所で、希望の炎が輝いていてほしいと思います」と結んだ。

七月二四日。昨日は一年後に五輪が開催されればという仮定法での「一年前」の記念日だったが、今日は2020年五輪が開催されていれば開会式が行われるはずだった日だ。昨日のセレモニーで池江が登場していた新国立競技場まで出かけてみた。五輪反対のデモが盛り上がっており、警備に動員されている相当数の警官隊とのこぜりあいがあちこちで発生している。

新国立競技場は開催の八ヶ月前に余裕で完成していたが、周囲をバリケードで覆われてまだ工事中のような風情だった。バリケードの隙間から覗いてみると、出番が延期された聖火台がスタジアムの入口前に放置されているのが見えた。

■過去と未来が新国立競技場で交錯する

新国立競技場の建つあたりはかつて青山練兵場と呼ばれる軍事施設だった。その敷地の一部を用いて一九二四年に明治神宮外苑競技場が設けられる。この競技場設備を改造して1940年五輪計画ではメインスタジアムが作られる予定だったが、ベルリン五輪を視察した建築家の岸田日《ひ》出刀《でと》はオリンピック会場の敷地として外苑は狭すぎると考え、駒沢にあった駒澤ゴルフ場跡地に建設場所を変えることを提案、認められる。しかし、戦局悪化のため同年七月にオリンピックの返上が決定。スタジアム建設も中止となり、計画が蘇るのは64年五輪を待たなければならなかった。

五輪会場には使われなかったが、外苑競技場は陸上競技に広く使われ、第二次世界大戦中の一九四三年には学徒出陣の壮行会会場ともなった。敗戦後、GHQに接収されて「ナイル・キニック・スタジアム」という名称で使用されている。

戦後は国体会場に使われ、一九六四年に開催された東京オリンピックのメインスタジアムとして使用されることとなり、スタンドの増築が行われた。

2020年五輪では国立霞ケ丘競技場をメインスタジアムとして使用する計画となるが、狭すぎるという問題が再燃、八万人以上を収容できるスタジアムへの改修に向けて協議が始まる。

二〇一二年七月二〇日、日本スポーツ振興センターは「新国立競技場」デザインの公募を開始。応募作の中で英国の建築設計事務所ザハ・ハディド・アーキテクトのデザインが「最優秀賞」に選ばれた。

ザハの案では彼女らしい有機的な流線形が注目された一方で、巨大さが景観を損ね、建設費も莫大過ぎるとして各方面から批判が噴出した。日本橋の上空を首都高が覆ったのが64年五輪での東京大改造を象徴する風景だったとすれば、その意趣返しのように、ザハのスタジアムは巨大なナメクジのように首都高の上をのたうちまわる。

二〇一五年一〇月に予定されていた着工を目前にした七月一七日、安倍晋三首相は建設計画の白紙撤回を決断。内閣不支持率が支持率を上回ったタイミングだったので政府側の意図は明白だった。懸案の課題に英断を下す姿勢を見せて世間に媚を売ったのだ。

「アンビルドの女王」の呼び名を更新するかのように未完に終わったザハ案は丹下健三へのオマージュも感じさせた。波間に置かれた貝殻のような、星間物質を往復させる二つの銀河宇宙のような国立競技場代々木第一、第二体育館は建築史に残る丹下の傑作だった。両者は生命感を喚起する有機的なデザインで呼応する。

ザハ案がキャンセルされた後のコンペを勝ち抜き、新国立競技場を設計することになった隈研吾は、丹下の代々木体育館との出会ったときの衝撃をこう記している。

大倉山から東横線に乗り終点の渋谷で降りて、駅から「公園通り」とその後に呼ばれることになる道をゆっくりと登った。丘の上に、塔のようなものが現れた。それが、目指す代々木競技場であった。

1964年の当時の東京は、木造建築で埋め尽くされた、低くて、小さくて、ボロい街だった。その街の向こうに、3本のコンクリートの塔がそびえたっていた。大きい方の第一体育館の屋根を支える2本の塔と、小さい方の第二体育館を支える1本の塔が、天から奇跡が降ってきたように、渋谷の丘の上に屹立《きつりつ》していたのである。

設計者の丹下健三は、時代を読む天才だといわれた。彼は直感的に、垂直なもの、高いもの、大きいものを時代が求めていることを理解した。だからコンクリートの高い塔を建てた。

（隈研吾『ひとの住処』新潮新書）

代々木体育館の高さは四〇メートルを超える程度で、高層建築が当たり前になった今では高いとはとてもいえない。しかし当時の建物の平均的な高さとの比較で、そして建てられた場所が渋谷の谷から坂を登った高台だったことも合わせて圧倒的に高く感じられた。その高さもあって、一説によれば工費は予算を大幅にオーバーしたらしい。丹下は時の大蔵大臣・田中角栄のところに直談判に向かう。「よっしゃ」の一声で田中は予算の上積みを了承したという。

ザハも丹下と同じく高いスタジアムを目指した。かつて丹下の代々木体育館がその高さから醸し出す聖性を自分の建築にもまとわせようとしたのかもしれない。神宮外苑は従来一五メートルの高さまでしか建物を建てられなかったのだが、新国立競技場コンペではその制限が緩和されて七五メートルまで認められており、ザハはその枠いっぱいを使ったが、あたりの景色になじまないと批判されたし、高さが建築費高騰の一因になった。

膨らんだ予算を「よっしゃ」の一声でなんとかしてくれる田中角栄の時代ではもちろんない。ザハ案がキャンセルされた後、仕切り直しの二度目のコンペに参加した隈は「スタジアムはまず低くなければいけないと考えた」。「2020年には、高いことは恥ずかしいことである」（前掲書）と考え、スタジアムの高さを五〇メートル以下に抑えることを目標にした。結果的に新しい国立競技場は天にむかって手を差し伸べるような聖性とは縁遠い大人しいスタジアムとなった。

とはいえ、スタジアムの議論だけではいかにも視野狭窄だ。東京五輪に関わっていた頃の丹下は建物のことや、五輪のことだけを考えていたわけではなかった。彼の視線は五輪を超えて日本列島の将来像に注がれていた。

■東京計画1960

丹下の構想は池田内閣の太平洋ベルト地帯構想を受け継ぐものだった。一九六五年の国勢調査で日本の総人口は九八二八万人となり、そのうち首都圏・東海・近畿を合わせた地域の都市に三〇〇〇万人を超えた人が住む。「いったい、今世紀末、日本の都市人口が一億一〇〇〇万になった状態で、この配分はどうなるのでしょうか」。『日本列島の将来像』（講談社現代新書）で丹下は問いかける。「後進地域の農業人口の減少は、後進地域での都市成立の条件をますます悪くしてゆく」とも書かれているが、その手当よりも先に都市人口の八〇％以上が、この東海道沿いに移動する日に備えようとする。

この巨大な人口が東京・名古屋・大阪のあいだのどこに向かって流動を始めるでしょうか。首都圏と近畿圏とが、現在のような競争的立場にたつとすれば、まぎれもなく、この重心は首都圏に向かうでしょう。そうして東京を中心に大小さまざまの衛星都市群が形成されるでしょう。そして、六〇〇〇万とか七〇〇〇万といった巨大メトロポリスを形成してゆくでしょう。

こうした強い求心力が発生した結果、その中心都市である東京は今のままでは人口増の重圧に耐えられないだろうと丹下は書く。『日本列島改造論』で田中角栄は地方の復興によって都市の過密と地方の過疎問題を一気に解決できると考えたが、丹下の解決策はそれとは異質だった。丹下は地方ではなく東京そのものの改造こそが解決策だと考える。そして一九六〇年の時点で彼が考えていた提案——「東京計画—一九六〇」を紹介する。六六年刊の『日本列島の将来像』では日本全体の命運を握る計画としてそれが位置づけられている。

東京への人口の集中、企業の集結において、あるいは資本の集積においても、それは、首都圏をはるかに越えて、直接、全国の隅々《すみずみ》からの「求心」ということがいえます。

現代の一〇〇〇万都市は流動し、流動することによって、その有機的生命を維持し、成長させています。流動することによって——相互にコミュニケートすることによって——一〇〇〇万都市は、その頭脳的生産を営んでいるのです。ところが、求心的都市の形態は、このはげしい流動に耐えることができません。

東京が発展すればするほど、この流動がはげしくなればなるほど——日本の文明は進歩し、経済は成長してゆくはずなのですが——、逆に東京は混乱し、麻痺し、死滅してゆく方向に向かっています。

そんな危機感を踏まえて策定された東京計画1960では従来の都市の発展形態である「求心型・放射状」を放棄し、東京湾上を東京から木更津へ直結する道路によって形成される「都市軸」を基本とする「線型・平行射状」システムに変えると謳われる。

東京計画1960が最初に発表されたのは『週刊朝日』一九六〇年一〇月一六日号だった。この時点では基本的なアイディアは出揃っていたがまだ完成形ではなかった。完成形が披露されたのは一九六一年一月一日のNHK教育番組「夢の都市計画」の中でだった。元旦のゴールデンタイムに放送したことにNHK側の意気込みが感じられる。

番組には丹下自身が出演して計画の内容を説明した。スタジオに置かれた東京計画1960の巨大な完成予定図の前に丹下が立つ姿を撮影したスナップ写真はよく引かれるのでどこかで見たことがあるかもしれない。

建築家は自らの自信作を前に誇らしげだが、都市軸は背伸びしたミミズのようだ。ミミズの節＝環節を思わせるユニットが連続的に繋ぎ合わせられた構造となっているからだ。その環節部分には中央官庁などが入り、そこから直角方向に海上人工島の住居棟が伸びる。写真パネルでは都市軸から直角に触手のようなものが伸び、その周辺に住居棟が作られているのだが、写真では小さく縮尺されて何があるのかわからず、食パンに生えたカビのように点々と広がってみえる。

もちろん遠目にみた印象で語っては丹下に失礼だ。説明によればミミズの正体は上層を走る時速一二〇キロの高速道路の下に時速九〇キロ、時速六〇キロと制限速度を変えた三階建ての道路である。通過交通は上層の道路を高速で通り抜ける。環節内の施設に出入りする場合は高速道路から低速道路をつなぐ螺旋状のルートを使って通過交通の流れを遮ることなく内部に流出入する。三層の道路はそれぞれ一〇車線あり、それに囲まれた環節のひとつが五〇〇万人程度の人口を収容すると想定されていた。

そこで丹下が留意していたのは流動性と求心力との両立だ。五〇〇万も人口がある個々の環節は強い求心力を発揮するが、その間をつなぐ交通は流出入車両が通過車両の流れを妨げないように工夫することで渋滞のような膠着状態を招かない。また環節を次々につないで周辺に「カビ」を生やすことによって東京への流入人口を増加に応じて弾力的に収容すれば首都としての求心力を維持しつつ、過密に至らないと考えられている。

■丹下健三の夢が息を吹き返す

この一九六〇年に描かれた東京拡大の絵図は、夢物語に終わったのだろうか。

戦後の東京は膨張の熱気と停滞の冷却を交互に繰り返してきた。美濃部都政時代の開発の中断、停滞を経た後、東京は再び開発促進に転じ、西部の多摩地区や海側に市街を拡大している。鈴木俊一都政は世界都市博開催を臨海部開発の起爆剤としようとしたが、青島幸男都知事時代に世界都市博は中止され、臨海開発は足踏みを余儀なくされる。鈴木元都知事は「サリンを撒くかのようだ」と青島に呪いの言葉を浴びせた。そして一旦の中断を挟んで石原慎太郎都知事以後の時代に東京湾岸開発が再開される。

その弾みとなるべく位置づけられたのがまずは2016年五輪であり、その誘致に失敗して雪辱戦となった2020年五輪だった。世界の舞台で戦うことを目標に厳しいトレーニングに耐えてきたアスリートを傷つける意図はまったくないのだが、五輪は都市開発、国威発揚、景気浮揚を目指す人たちにとって見ればまさに目の前に釣るニンジンであり、お台場など臨海開発、晴海再開発、築地市場の豊洲移転などを加速させるための駆動装置だった。

そうした開発、再開発の中で五輪選手村の前を通る晴海通りと、六本木再開発の章で言及した晴海通りと平行して走る、延伸された環状二号線は、二つの主要道路で都市軸を形成する丹下の案を再現するかのようだ。とはいえ、これほど2020五輪で大騒ぎしたのに出来たのは、せいぜいがミミズの環節一つ分だけ。しかも、そこに六〇年代の丹下にあった流動性と求心性を両立させ、私的区間と公共空間を接続する計画性は不在だし、東京への人口増加が地方の衰退を用意することへの対策は相変わらず欠けている。

2016年五輪は臨海部で開催され、その周辺開発とセットとなっていたが、2020年五輪では臨海部開発に神宮地区を加え、ふたつの重心をもった開発になる。ザハの新国立競技場案は却下されたが、神宮外苑周辺の高度制限は緩められ、古くからあった霞ヶ丘団地を取り壊して大規模再開発が進んでいる。回りが高層化されればザハの国立競技場が周囲を威圧することも実はなかったのだが、今さら言っても後の祭りだ。

そして臨海部では晴海の選手村が大会後に改修し、そこにタワーマンションを追加することで分譲住宅四一四五戸、賃貸住宅四八七戸からなる「街」に生まれ変わる予定だ。要するに五輪を弾みにして、ひたすら東京への求心力を高める。そこでは地方のことなど視野に入っていないし、都市自体が過密で膠着状態に至ることへの懸念も検討されない。そこに蠢いているのは全包囲的な思慮に欠ける拡大の欲望なのであり、その欲望に油を注ぐのが五輪なのだ。

しかし…。そんな拡大路線に終止符を打ったのは、今回は革新系の学識経験者や芸人知事の都政ではなく、中国を発生源とするらしい新しいウイルスだった。二〇二〇年六月、東京都の人口増に初めてブレーキがかかり、前月比で人口減少を記録した。減少は近年の都心回帰で人口を増やしてきた新宿区や港区で特に目立つ。過密都市はそのまま感染リスク都市となった。感染を防ぐために出社を求めない「リモートワーク」に切り替える企業の増加が、東京からの転出も加速させている。

触覚だけで生きてきた生物が視覚を獲得したとき、個体間で距離を隔てた生活が可能となったと進化論では言う。しかし今や空間的に遮断されて電子の流れによってのみつながっている対人関係が生活の場となりつつある。

こうした脱中心化の動きが、ウイルスの恐怖が喉もと過ぎればまたもとに戻るのか、それは分からない。ただ、ひとつ確かなのは、コロナ禍の中で、人に会いにゆく移動や、語り合うこと自体がリスクであると私たちが思い知らされたという事実だろう。ウイルス入り飛沫が混じる空気を吸うことが死につながるかもしれないのだ。

その恐怖心は私たちを深く傷つけたはずだ。リニアモーターカーの章を書いた時、私たちは時速五〇〇kmの速度まで駆使して出会いを望み続けるのかと疑問を投げかけていた。その疑問は別のかたちに書き換えられて繰り返される。私たちは、移動や出会いを恐怖に感じるトラウマから回復できるのだろうか――。

■二〇二〇年に蘇る開高健

他でもない、開高健の作品には、そんな状況の中で私たちを導いてくれる指針がある。開高は人間に飽くなき興味を持っていた。『ずばり東京』は64年五輪が背景に存在していた時期の東京ルポだが、五輪そのものへの興味は極めて淡白だ。開会式を見に行って風邪をひいて寝込み、閉会式も見物には出掛けたものの、まだ熱や悪寒があって頭の中に霧がかかった状態だったと書いている。要するに五輪の競技は床に臥せっていて殆ど見ていなかったようだし、それを残念に思っている素振りもみせない。

しかし、閉会式に参加してみれば競技を見ていなかったくせに、妙なところに反応する。


梵鐘が鳴ったのでやわな脳はそれにふさわしい反応を起した。なんでも説明書によると、これは黛敏郎氏が作曲し、NHKの技術部が協力してつくった電子音楽であって、東大寺、妙心寺、高野山、輪王寺など、日本の有名なお寺の鐘の音を素材にしてあくまでも原音のこだまを忠実につたえつつも〝エレクトロニクス時代のオリンピックにふさわしい〟響きをつくりだそうとして苦心したものなのだそうである。なんとも奇妙キテレツ、こっけいとも、陰鬱とも、間がぬけてるとも、暗愁にみちてるともつかないもので、じっと聞いていたら、腹をかかえて笑いださずにはいられない性質のものである。

古来、お寺の鐘は、『色即是空　空即是色』と鳴るものではないか。現世の存在全てはむなしきいつわりであるぞよ、むなしきいつわりこそが現世の存在であるぞよ、というペシミズムを私たちの脳膜にたたきこもうとして何百年も何千年もかかって練りあげ、鍛えあげ、工夫に工夫を凝らした音ではないか。それを汗と腋臭《わきが》のむんむんたちこめる肉の祭典の開会式と閉会式にやろうというのだから、愉快である。

（「サヨナラ・トウキョウ」）

そして開高は五輪のための東京改造で犠牲になった人の数を調べてみる。

▽高層ビル（競技場・ホテルなどを含む）……十六人
▽地下鉄工事……………………………十六人
▽高速道路………………………………五十五人
▽モノレール……………………………五人

▽東海道新幹線……………………………二百十一人

合計………三百三人

開高も書いているがこれは死者数であり、負傷者や障害を負った人の数はもっと多い。死者数にしても労災関係の役所調べなので、あくまでも労災と認められた数だろう。実態はこの何十倍もの人が五輪の犠牲者になった。先に書いていた黛敏郎作の梵鐘を使った現代音楽の話がここに繋がって弔いの鐘の音が行間に響く。

開高健も愛したカミュの『ペスト』にこんな言葉がある。「ある町を知るのに手軽な一つの方法は、人々がそこでいかに働き、いかに愛し、いかに死ぬかを調べることである」。

池江が新国立競技場の観客のいない客席に向けてスピーチをした七月二四日。新型コロナ感染症で犠牲になった人は累計九九二人に達していた。もし五輪というニンジンが目の前にぶらさがっていなくてもパンデミックの犠牲者は出ただろうが、せっかく摑んだ五輪という獲物を逃さないようにという政治の思惑が、感染者数を少なめに見せたいからとしか思えない検査体制整備の異常な遅れにつながった結果、死亡者数が上乗せされたと想像することは難しくない。

この七月の時点でも政府は、感染は主に若者の間に広がっており、重症者は少なく、医療体制は逼迫していないため、経済対策を優先すると説明していた。このときの遅れが、後に高齢者や基礎疾患を持つ者に感染が広がり、医療を逼迫するようになれば更に犠牲者を増やしてゆくだろう。政府にしてみればもう一度、経済活動を抑制させて不況になれば作為責任を問われる。であれば、慎重派の科学者の意見には耳を塞いで、このまま突っ切る賭けに出たのだろう。もしも賭けに負ければ感染者だけでなく、結局、経済も立ち行かなくなって、そちらも被害者が増える。つまり掛け金は国民生活。勝てば政府の手柄、負ければ感染対策が十分にできなかった国民のせいにされる。そんな賭けが政府に許されるようになったことこそ二〇二〇年の画期だったのか。

『ずばり東京』が書かれていた時には、戦争のための施設があった場所に平和の祭典である五輪の施設が次々と作られていた。しかし、そうした戦争都市から平和都市への物語の書き換えは表層的なものであり、総動員をかけて、犠牲を出しながら目的達成を目指そうとする構図は第二次世界大戦でも64年五輪でも変わらなかった。２０２０年五輪でもそれは変わらない。かくして東京という街を知るために、再び、いかに人が死ぬかを数えなければならない。

だが、かつて死者を数えていた開高が、同時に生きた人間への関心を強く持ち続けたことに注目しておくべきだろう。『ずばり東京』を書くために会った人の数を開高はざっと三三五人から三五〇人ぐらいと概算している。開高自身が芥川賞受賞後の鬱に苦しみ、出口を求めてノンフィクションに挑戦したこととも関係があるのかもしれないが、開高はそこで徹底して人と話し、ともに笑い、ともに怒り、時に感心し、時に嘆きつつ、『ずばり東京』を書いた。最初に単行本にしたときに西鶴の風俗見聞録にあやかって「昭和著聞集」という副題をつけたのも、話を聞いて著すことを作品の本質とするという意識があったからだろう。

そうした方法論に対して小説家として悩むことがなかったわけではない。「人びとはどの職場でも何十年と働いてきた人ばかりであったから、一週間に三日や四日訪問してちょこまかと意見を聞いて歩いたところで、何もわかるものではなかった。家に帰って輪転機に追いまくられてそそくさと原稿を書いてはみるものの、いつも、後頭部のどこかに、むなしいことをしている、むなしいことをしているというささやきがあった」と開高は書いている。とはいえ、古今の名作から縦横に成句を引き、独白体、会話体、子供の作文、擬古文、講談等々と多彩な表現方法を試して著聞＝聞き著しを味わい深く彩色した『ずばり東京』が、読者をむなしくさせるどころか、人と会う楽しさ、そのために駆け回る面白さを余すところなく描き出したことは間違いない。

そんな作品に触れると、人と共に生きる豊かさを奪うもの——それは感染症や情報環境の変化でもあるし、政治や経済の要請でもありえるし、私たち自身の感性の変化や劣化かもしれない——に抗う必要を強く感じる。

確かに人々が移動し、集うことはそれ自体リスクでもある。暴力がそこに育まれうるという意味で。だが、移動し、出会うことは、同時に人間的な生命力の源泉でもある以上、リスクを避けつつも豊かさを追う、したたかな生き方を私たちは編み出すべきなのだろう。

こうして、六〇年代に書かれた『ずばり東京』が、二〇二〇年の私たちを鼓舞する。それは、五輪が開催されなかったこの年を、詩を発散させるような魅力的な出会いを実現する暮らしをもう一度建て直す始まりにできないものかと、そんな思いをもたせてくれるのだ。

他人がどのくらいそう呼んでくれたかはわからないが、筆者は少なくとも自称ではジャーナリストだった。「いま伝えなければならないことを、いま、伝える。いま言わなければならないことを、いま、言う。『伝える』とは、いわば報道の活動であり、『言う』とは、論評の活動である。それだけが、おそらくジャーナリズムのほとんど唯一の責務である」という新井直之の言葉は筆者の座右の銘であり、その言葉に従うことを自らに課すためにジャーナリストと敢えて名乗ってきた事情も少なからずある。

とはいえ、「いま、伝える」「いま、言う」内容については思うこともあった。おそらく他称に至らない理由の一つだと思うが、筆者には戦場の取材経験もなく、政治家と真っ向から立ち向かうような仕事もしてきていない。ジャーナリストとして世間がイメージする、命を懸けて戦場から報告したり、巨悪を倒そうとする仕事ぶりからは遠く、ただ街場の出来事を追ってきただけだ。そこに自分でも負い目があったので、『ずばり東京』の仕事を終えた後にベトナム特派員としてサイゴンに向かった開高健に憧れて、「いつかは自分も」と思っていた。

だが、その「いつか」が巡り来ることはないまま、開高が亡くなった年齢を超えてしまった。本書のテーマを思いついたのは2020年五輪の東京誘致が決まったからということももちろんあったが、戦場どころか、東京の街を這い回るような取材スタイルすら維持できなくなる〝潮時〟がそう遠くなく訪れる。自分の主戦場だった街場のジャーナリズムでも思い残すことがないように仕事をしておきたいと考えたことも大きかった。

そして、開高健が1964年五輪前の東京を活写した『ずばり東京』の2020年五輪バージョンに挑戦したい。そんな思いをフェイスブックに書いたのを見掛け、声をかけてくださったのが朝日新聞社のネット媒体「WEB RONZA（現在は論座と改称）」の新編集長に就任が決まっていた吉田貴文さんだった。『週刊朝日』で仕事をしていた頃の開高が立ち寄ったことがあったのではないかと思うような新橋駅裏の超シブい居酒屋で初めてお目にかかって企画の話をさせてもらったのは二〇一八年新春だった。

以後、「論座」の連載では高橋伸児さんに編集を担当していただいた。実は高橋さんは伝説の週刊誌『朝日ジャーナル』が休刊になる直前に担当してもらったことがあり、なんと四半世紀ぶりの再会だった。

ところが、開高に倣ってひたすら歩いては話を聞いて回る取材を続けてちょうど季節がふた回りし、二〇二〇年の五輪イヤーの幕が開いて、いよいよゴールに向かってラストスパートをかけようとした矢先に新型コロナ感染症が発生、五輪開催も延期になる。

五輪モノを書いていたのであれば、それと歩みを揃えて連載完結の時期を遅らせ、無事開催されようが中止になろうが五輪と運命を共にしていたのだろう。だが、こちらは東京という都市の同時代史を書いていたつもりなので、むしろ感染症パンデミックによる五輪延期という前代未聞の出来事を記録したほうが価値は高くなるはず。そこで、五輪が開催されていたら、それを横目で見ながら最後のまとめ方を苦吟していただろうタイミングで、五輪が開催されなかった東京を最終章で書き、単行本としてまとめることにした。こちらは筑摩書房の石島裕之さんに担当していただいた。コロナ対策に目処をつけることなく突然、安倍晋三首相が辞任したことに始まる荒れた社会状況の中、タイトなスケジュールで一冊の書籍に仕上げてくださったことに感謝したい。また往時の開高のエピソードを聞かせてくださった元サントリーの小玉武さんや、開高記念会につなぐ筋道をつけてくださった元筑摩書房の湯原法史さんのお力添えなしにはそもそもこの仕事自体が存在し得なかった。この場を借りてお礼したい。

コロナ感染症の流行が始まってからは、卒寿を超えた母や、基礎疾患のある妻という感染症ハイリスクの二人に自分経由で感染させてしまうことを恐れてそれまでのように存分に取材に出かけるわけにはゆかなくなった。気づいたら潮が満ちて自分の足元がその中に沈んでいて動きが取れなくなるのが潮時であり、自分で「その時」を都合よく選べるわけではない。潮時は向こうからやってくる。そんな真実の片鱗を実感できたという意味でコロナの日々にも学びはあったが、学んでみれば逆に自分から潮時だとかいっておセンチになっている場合でもないと気づき、ジャーナリストとしてやるべき仕事が残っているうちは、出たり引っ込んだり手法に工夫しつつ宿題に挑戦すべきだという覚悟を新たにしている。執筆の最終局面でウイズ・コロナの時期に当たった本書はやや特殊な位置づけになるかもしれないが、他の仕事同様、どこにいようと常在戦場の緊張感を貫いて調べ、書いたということを、筆者としては自分にしか見えない聖書に手を置いて宣誓したい気分である。「いま伝えなければならないことを、いま、伝える。いま言わなければならないことを、いま、言う」ことができたか、読者のみなさんのご高評を仰ぎたいと思っている。

武田徹

二〇二〇年九月三〇日

＊本書は朝日新聞社の言論サイト「論座」での連載「ずばり東京２０２０」全二五回（二〇一八年八月一六日～二〇二〇年九月二日）に、書き下ろし「東京コロナ禍日記」を加えて一書としたものである。

武田徹 たけだ・とおる

一九五八年生まれ。国際基督教大学大学院比較文化研究科修了。ジャーナリスト、評論家。東京大学先端科学技術研究センター特任教授、恵泉女学園大人文学部教授等を経て、二〇一七年四月より専修大文学部ジャーナリズム学科教授。専門はメディア社会論。著書に『流行人類学クロニクル』（サントリー学芸賞受賞）、『「隔離」という病い』『偽満州国論』『「核」論』『戦争報道』『原発報道とメディア』『暴力的風景論』『日本語とジャーナリズム』『なぜアマゾンは1円で本が売れるのか』『日本ノンフィクション史』『現代日本を読む』など多数がある。

筑摩選書 0200

ずばり東京《とうきょう》2020

二〇二〇年一二月一五日　初版第一刷発行

著　者　武田徹《たけだとおる》

発行者　喜入冬子

発行所　株式会社筑摩書房
東京都台東区蔵前二-五-三　郵便番号　一一一-八七五五
電話番号　〇三-五六八七-二六〇一（代表）

装幀者　神田昇和

印刷 製本　中央精版印刷株式会社

ISBN978-4-480-01720-8　C0336
JASRAC 出 2009643-001

筑摩選書
0122

大乗経典の誕生
仏伝の再解釈でよみがえるブッダ

平岡聡

ブッダ入滅の数百年後に生まれた大乗経典はどんな発想で作られ如何にして権威をもったのか。「仏伝」をキーワードに探り、仏教史上の一大転機を鮮やかに描く。

筑摩選書
0123

フロイト入門

中山元

無意識という概念と精神分析という方法を発見して「わたし」を新たな問いに変えたフロイトは、巨大な思想的革命をもたらした。その生成と展開を解き明かす。

筑摩選書
0124

メソポタミアとインダスのあいだ
知られざる海洋の古代文明

後藤健

メソポタミアとインダス両文明は農耕で栄えた。だが両文明誕生の陰には、知られざる海洋文明の存在があった。物流と技術力で繁栄した「交易文明」の正体に迫る。

筑摩選書
0125

「日本型学校主義」を超えて
「教育改革」を問い直す

戸田忠雄

18歳からの選挙権、いじめ問題、学力低下など激変する教育環境にどう対応すべきか。これまでの「改革」の功罪を検証し、現場からの処方箋を提案する。

筑摩選書
0126

刑罰はどのように決まるか
市民感覚との乖離、不公平の原因

森炎

市民感覚を取り入れた裁判員判決と職業裁判官の判断の溝はなぜ生じるか。日本の量刑には知られざるルールがある。歪んだ刑罰システムの真相に、元裁判官が迫る!

筑摩選書 0127

分断社会を終わらせる
「だれもが受益者」という財政戦略

井手英策 古市将人 宮崎雅人

所得・世代・性別・地域間の対立が激化し、分断化が進む現代日本。なぜか？　どうすればいいのか？「救済」から「必要」へと政治理念の変革を訴える希望の書。

筑摩選書 0128

貨幣の条件
タカラガイの文明史

上田信

あるモノが貨幣たりうる条件とは何なのか。それを考えるのに恰好の対象がある。タカラガイだ。時と場を経巡りながらその文明史的意味を追究した渾身の一冊。

筑摩選書 0129

中華帝国のジレンマ
礼的思想と法的秩序

冨谷至

中国人はなぜ無法で無礼に見えるのか。彼らにとって法や礼儀とは何なのか。古代から近代にいたる過程で中華思想が抱えた葛藤を読み解き、中国人の心性の謎に迫る。

筑摩選書 0130

これからのマルクス経済学入門

松尾匡 橋本貴彦

マルクスは資本主義経済をどう捉えていたのか？　マルクス経済学の基礎的概念を検討し、「投下労働価値」がその可能性の中心にあることを明確にした画期的な書！

筑摩選書 0131

「文藝春秋」の戦争
戦前期リベラリズムの帰趨

鈴木貞美

なぜ菊池寛がつくった『文藝春秋』は大東亜戦争を牽引したのか。小林秀雄らリベラリストの思想変遷を辿り、どんな思いで戦争推進に加担したのかを内在的に問う。

筑摩選書 0152

陸軍中野学校
「秘密工作員」養成機関の実像

山本武利

日本初のインテリジェンス専門機関を記した公文書が新たに発見された。謀略研究の第一人者が当時の秘密戦工作の全貌に迫り史的意義を検証する、研究書決定版。

筑摩選書 0153

貧困の戦後史
貧困の「かたち」はどう変わったのか

岩田正美

敗戦直後の戦災孤児や浮浪者、経済成長下のスラムや寄せ場、消費社会の中のホームレスやシングルマザーなど、貧困の「かたち」の変容を浮かび上がらせた労作！

筑摩選書 0154

1968〔1〕文化

四方田犬彦 編著

1968～72年の5年間、映画、演劇、音楽、写真、舞踏、流行、図像、雑誌の領域で生じていた現象を前景化し、歴史的記憶として差し出す。写真資料満載。

筑摩選書 0155

1968〔2〕文学

四方田犬彦／福間健二 編

三島由紀夫、鈴木いづみ、土方巽、澁澤龍彥……。文化の〈異端者〉たちが遺した詩、小説、評論などを収録。反時代的な思想と美学を深く味わうアンソロジー。

筑摩選書 0156

1968〔3〕漫画

四方田犬彦／中条省平 編

実験的であること、前衛的であること、アンダーグラウンドであること。それが漫画の基準だった——。第3巻では、時代の〈異端者〉たちが遺した漫画群を収録。

筑摩選書 0132

イスラームの論理

中田 考

神や預言者とは何か。スンナ派とシーア派はどこが違うか。ハラール認証、偶像崇拝の否定、カリフ制、原理主義……。イスラームの第一人者が、深奥を解説する。

筑摩選書 0133

憲法9条とわれらが日本
未来世代へ手渡す

大澤真幸 編著

憲法九条を徹底して考え、戦後日本を鋭く問う。社会学者の編著者が、強靭な思索者たる井上達夫、加藤典洋、中島岳志の諸氏とともに、「これから」を提言する！

筑摩選書 0134

戦略的思考の虚妄
なぜ従属国家から抜け出せないのか

東谷 暁

戦略論がいくら売れようと、戦略的思考は身につかず、政府の外交力も向上していない。その理由を示し、戦略論の基本を説く。真の実力を養うための必読の書！

筑摩選書 0135

ドキュメント 北方領土問題の内幕
クレムリン・東京・ワシントン

若宮啓文

外交は武器なき戦いである。米ソの暗闘と国内での権力闘争を背景に、日本の国連加盟と抑留者の帰国を実現した日ソ交渉の全貌を、新資料を駆使して描く。

筑摩選書 0136

独仏「原発」二つの選択

篠田航一
宮川裕章

福島の原発事故以降、世界の原発政策は揺れている。激しい対立と軋轢、直面するジレンマ。国民の選択が極端に分かれたEUの隣国、ドイツとフランスの最新ルポ。